# Fruits Party
## フルーツ・パーティ

● フルバなキャラクター相関図
フルバなキャラクター紹介
●

子どものころ　透はお母さんから　こんなお話を聞きました

昔々…　神さまが動物たちに言いました
「明日　私が開く宴会に　招待してあげましょう
決して遅れないように」
それを聞いた悪戯好きの鼠は
近所に住んでいた猫に
宴会の日は明後日だと嘘をついてしまいます
当日　鼠は牛の背に乗り　宴会場の前でヒラリと着地
そのあとから牛・虎と続き
宴会は朝まで楽しく行われました
騙された猫だけを除いて——

鼠の些細な悪戯は　猫の運命を大きく変えてしまったのでした

フルバな
キャラクター相関図

都立
海原高校

本田家

生徒会
繭子先生
プリンス・ユキ
花島恵
花島咲
魚谷ありさ
不良中学生3人組
本田透
本田今日子〈故人〉
本田勝也〈故人〉
祖父

対立
あこがれ
敵意
敵対
敵対
好き？
友情
友情
友情
ライバル（笑）
友情
姉弟
あこがれ
あこがれ
親子
親子
保護者
夫婦
親子

•••••• ＝好意的
|||||||||| ＝敵対
―― ＝血縁

18

草摩家

みっちゃん（担当）

仕事関係

草摩佳菜

倉前美音

草摩憐人（十二支との関係は現時点では謎）

草摩紫呉

友情

草摩はとり

元恋人

友情

恋人(?)

草摩綾女

女将

親子

草摩利津

元恋人

信頼

草摩由希

友情

友情

兄弟

好き？

師弟

草摩楽羅

草摩籍真

ライバル

あこがれ

大好き

師弟

草摩夾

義理の親子

師弟

草摩澱春

あこがれ

草摩燈路

友だち以上恋人未満

草摩杞紗

親子

草摩紅葉

親子

母

母

自分のためではなく　誰かのために
「元気になりたい」と
思えるのは　なんと
倖せなことでしょう
私の元気の源は
いつも皆さんが
あたえてくれるのです

DATA●透のコト

身長／156.7cm
体重／46kg
血液型／O型
星座／牡牛座
都立海原高校2年
趣味／家事
ニックネーム／透くん
　　　　　　トール
母を交通事故で亡くし、
紫呉の家に同居中。
高校の授業料をビル清掃
のアルバイトで稼いでいる。

# 本田 透 HONDA TORU

　他人の気持ちを何よりも大切にし、人々の心をなごませてくれる、純粋な女の子。父親ゆずりの妙な敬語を話す。幼いころは、いじめられっ子だった。

　1年ほど前、母を交通事故で亡くし、ひょんなことから紫呉家に居候することに。

　透が同居するきっかけとなった出来事は、崖崩れ。母の死の直後、透を引き取った祖父の家が建て替え工事を行うことになり、その期間中、彼女は草摩家の敷地に無断でテントを張って暮らしていた。だが、その安物のテントが崖崩れで埋没。紫呉らに窮地を救われたのだ。

　元々家事の得意だった透は、紫呉家でも家事を担当している。

わっわわ私
デートなんて
した事ない
です……っ
……っいっ
いいの
ですか!?

うわぁっ

嬉しい
です……っ

倖せで
す……っ

バイトっ
がんばり
ますっ

お祖父さんに迷惑をかけないために、透はアルバイトに精を出す。でも、バイト代が足りなくてピンチになることも。

## ボウシの少年

いじめっ子に追いかけられて迷子になっていた透を、さりげなく助けてくれた男の子。彼は今どこに……?

私の初恋
ですね
あの男の子
だったの
かも……

今にして
思えば

20

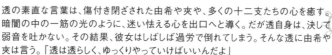

# 包み込む心、包まれる心

透の素直な言葉は、傷付き閉ざされた由希や夾や、多くの十二支たちの心を癒す。暗闇の中の一筋の光のように、迷い怯える心を出口へと導く。だが透自身は、決して弱音を吐かない。その結果、彼女はしばしば過労で倒れてしまう。そんな透に由希や夾は言う。「透は透らしく、ゆっくりやっていけばいいんだよ」

わがまま…言っても
いいんじゃねぇの…?
たまには弱音吐いたって
わがまま言ったって
いいんだよ
めげたって　いいんだよ

## 母から受け取った心

良心は個人個人の
手作りみたいなモンだから
誤解されたり　ギゼンだと
思われやすいんだよな
疑うなんて誰にでもできる
簡単なことだし
信じてあげな　透は
それはきっと　誰かの力になる

母はかけがえのない存在だった。自分のために働いてくれた母。自分の代わりに高校に行ってくれと言った母。優しさの本質を教えてくれた母。だが、その母の死の朝、透は大切なひと言を言えなかった。「いってらっしゃい」と……。

HONDA
KYOKO

# 本田今日子

元暴走族の特攻隊長だった今日子は、透にとっては宇宙一素敵な母であり、魚谷のあこがれの存在でもあった。にぎやかなことが好きだった彼女にあわせて、一周忌には、透、魚谷、花島、由希、夾の5人で墓参りをし、墓前で弁当を広げた。

# 本田家親族

### 祖父

今日子の死後、透を引き取った父方の祖父。現在は、娘夫婦と同居している。優しい性格だが、たまにさらっと毒舌を吐くことも。透のことを「今日子さん」と呼ぶ。

### 叔母家族

透の父方の叔母家族。警察官をめざしている長男と、透と年齢の近い長女の、ふたりの子どもがいる。透は本来ならば、この家族と同居する予定だった。

DATA●由希のコト

身長／170.5cm
体重／54kg
血液型／Ａ型
星座／乙女座
都立海原高校2年
趣味／家庭菜園
ニックネーム／王子
紫呉の家に居候中。
気管支が弱く、
たまに発作を起こす。

十二支●子

# 草摩 由希
## SOMA YUKI

文化祭にて由希、女装中！

今すぐこいつの皮を剥いで

ちょっと待って落ち着こうね　由希君

そんな…　オーだなぁ

何を考えているのかよく……わからないし

苦手…かな

　女生徒ばかりか、男子生徒の心まで虜にする、眉目秀麗な王子さま。次期生徒会長にも内定している。
　だが、周囲が彼を、完全無欠な天才として見ているのに対し、彼自身は自分を愛せずにいる。
　由希が自分に自信を持てなくなった原因は、慊人によるところが大きい。彼に負わされた心の傷は深く、杞紗のように話さなくなってしまったことすらある。
　また、由希は自分の兄のことも苦手だ。理解しようと努力はしているのだが……。もちろん、夾のことも嫌い。そのほかにも整理整頓や細かい作業も下手。しかし、それらを克服しようと努力している。

　綾女が初めて透に出会ったとき、彼は蛇の姿で透の服のなかに潜り込んでいた。本人は「蛇は寒さに弱いからね」と釈明していたが、由希はその軽薄な行動に激怒。兄弟のミゾが埋まる日は来るのだろうか……？

22

求めていた場所、求めていた人

…ありがとう

いえ…／ネクタイ曲げて／違ってた

良心は体が成長するのと同じで
自分の中で育ててゆく心
なんだ…って
だから 人によって
良心の形は違うんだ…って
草摩くんの優しさは
ロウソクみたいです
ポッと明かりが
ともるのです

とっても素敵な音…でしたよ

由希兄弟

いいんだよ／言ってもらえて…

由希は長い間、慊人によって暗く狭い部屋に閉じこめられていた。闇は由希の心をこわばらせ、萎縮させた。そして、由希は他人に心を開けなくなった。だが、透は言う。「お友達になってくださいね」と。カードゲームに誘い、バドミントンに興じ、一緒に植物を育て……。そこは由希の求めていた温かい場所。

誰かに

「好きだ」って言ってもらえて初めて…

自分を好きになれるんだと思う……

温かい人

攫っていくから

覚悟して

本由希くんの方が

可愛いよ

可愛い

絶対

姫

…お気に／思されましたか？

ぞっ

# 飾り物の王子さま

夾がむき出しの感情を表すのに対し、由希は自己表現が苦手である。だが、彼は時々、ドキリとするほどの愛の言葉を囁く。学校の屋上で、階段で、旅館の裏庭で、彼は突然、王子になる。学校で見せる飾り物の王子ではない、透だけの本物の王子。その彼の変化は、普段の彼をも素敵に変身させつつある。

由希くんも 夾くんも
どんどん素敵な男性になっていかれて
外も内も素敵になっていかれて
私の心臓がそのうち
もたなくなるんじゃないかってくらいに

すべてを…すべてを愛して…くれなくたって…
よかったんだ…
…怖がっても よかったんだ…
俺はちゃんと一緒に考えて…
悩んで欲しかったんだ
一緒に
生きていこうって

DATA●夾のコト

身長／171.3㎝
体重／56kg
血液型／A型
星座／山羊座
都立海原高校2年編入
趣味／格闘技
ニックネーム／
　　キョンキョン　キョン吉
紫呉の家に同居中。
雨が降ると体調を崩す。

十二支●猫

ただ俺が
もっと…

調子が
悪かった
だけだって…

# 草摩 夾 SOMA KYO

物事をなんでも拳で解決しようとする、格闘好き。由希のことをライバル視しており、いつか由希を倒そうと、日々鍛錬に励んでいる（現在、全敗中）。

気性は激しく、気に入らないことがあるとすぐにがになってしまう。だが、そんな彼の真っ直ぐな性格に惹かれて集まってくる友人も多い。

高校までは、空手の師匠で、育ての親でもある籍真とともに暮らしてきたが、突然失踪。なんと4カ月もの間、師匠とともに山で修業をしていたらしい（熊とは戦っていないもよう）。

嫌いな食べ物は、ニラとネギと味噌。また、夾に夢中の楽羅のことも苦手。彼女の気持ちが理解できないと言うが……。

ごめん…

な…

←今日子のお墓参りの日、疲れて眠る透にそっと謝る夾。彼が何について謝っているのか、何を悔いているのか、または何を隠しているのか、今はまだ謎のままだ。

……下手くそ

## ホントの姿──不器用な笑顔

帰ってくるって
言ってくれる
子が

思っていたのに

……透……っ

透……っ

そうやって

これからは　夾くんが私の弱音を
ちゃんと聞いてくださるように
夾くんの弱音も私に聞かせて欲しい……っ
辛いことも　怖いことも弱いことも
ちゃんと教えて欲しい　悩ませて欲しい
一緒に　暮らしていきたいから…
ご飯食べたり　勉強したり…悩んだり
そんなふうにこれからも一緒に
一緒に過ごしたいんです……!!

俺の親父
なんだって
言えるような

頑張って
なれる
ような

そんな
奴に

俺は

師匠が

# 終わっている人生

猫憑きとして生まれたとき、夾の人生は終わった。人間のふりをした化け物──猫憑き。誰もが顔を背ける醜い姿、異臭。彼の母ですら、その過酷な現実に耐えきれず、自らの死に逃げ込んだ。だが、透は違った。彼女は、理解りたいと、一緒に過ごしたいと言ってくれたのだ。たったひとりの少女が、夾の運命を変えるかもしれない。

俺だって
なれるモンに
なってみてえよ

……そんな
奴に

## 見えない背中

たとえば人の素敵というものがオニギリの梅干しのようなものだとしたらその梅干しは背中についているのかもしれません…っ
でも　背中についているせいで　せっかくの梅干しが見えないのかもしれません
……誰かを羨ましいと思うのは　他人の梅干しならよく見えるからなのかもしれませんね

由希のことを憎み、妬む夾。才能に溢れ何をやっても軽々とこなす由希。憎くて、うらやましい相手だが由希も、誰とでもすぐに打ちとけられる夾に憧れている。そんなふたりを見て、透は思う。どうして気付かないのだろう。自分の素敵なところに。背中の立派な梅干しに……。

空手の師範代で、道場を開いている。祖父が猫憑きだった。夾の母が亡くなったあと、父親に放棄された夾を引き取り、息子として育てる。

DATA● 師匠のコト

SOMA
KASUMA

# 草摩籍真

猫憑きの祖父に冷たく接してしまったことを、深く悔いている。夾を引き取ったこともその償いのつもりだったが、今は夾とは実の親子以上の絆で結ばれている。しばらく修業の旅に出ていたが、現在は戻って道場を再開している。

僕は　僕の胸にはまだ残っている
愛しさ　しびれるように甘く哀しい　あの熱情
手に入れるためなら
多少の偽りも利用も問わない
たとえそれが　誰かを
傷つける結果になっても

DATA●紫呉のコト

身長／178cm
体重／68.5kg
血液型／ＡＢ型
星座／さそり座
小説家（純文学と少女小説）
ニックネーム／ぐれさん
本家の外に家を構え、
由希と夾を保護している。

十二支●戌

# 草摩紫呉
## SOMA SHIGURE

いつも着物姿の小説家。着物を着ている理由は、「小説家は着物にペンって決まってるから」とか。その発言からも分かる通り、彼の言動はどこまでが本気なのか分かりかねるところがある。女子高生という響きに目の色を変えてみたり、作家になった理由は規則正しい生活をしなくても済むからさと言ってみたり……。いい加減で、適当な人間のようにも見えるが、それは彼がわざと演出している姿だという説もある。そんな紫呉の生き方を、昔、1カ月間だけ付き合っていた繭子は「さざ波」と称した。

十二支のなかではいちばん憧人の元にマメに通い、一応の信頼を得ているようだが……。

←はとりから呪いの話を聞かされた透は、紫呉に訊ねる。「私は何かしなくていいのですか……？」透の戸惑いに、彼の答えは……。

## クラゲ的ボケ

## ある意味、綾女以上

いいザマ
だな
慊人

そうだね

今然は

利
用
も
間
わ
な
い

手
に
入
れ
る
為
な
ら
多
少
の
偽
り
も

たとえ それが
誰かを傷つける
結果になっても

とりあえず

## フルーツ・パーティ

さざ波のようだ
寄せては引いていく
さざ波
足元をなでていくのに
触れようとすると
遠ざかる
捕まえることが
できない存在

…突っつき
すぎたかな

いやにな
ちょっとばかし
食傷した
ので

さざ波、またはくらげ。人は紫呉をそう呼ぶ。それは
彼が徹底した傍観者だから。いつも人々を遠くか
ら見守り続けている紫呉。「いつか君を好きだと言っ
てくれる子を大切にできるように」「君が君でいる
ことだよ」彼の助言は人を刺激する。

その胸に聞いてみろ
何が「利用していない」だ
おまえも慊人も立派に本田くんを
コマのように利用しているよ
それぞれの目的と利得のために

好きに
すれば
いい

どうせ最後に
思い知るのは
慊人なんだ

# 思惑——
# 希望のための犠牲

穏やかな微笑みの下に、紫呉は牙を隠し持っている。誰も
知らない切り札を懐に潜め、彼は笑う。慊人さんが一番大
切ですから、とうそぶく。彼が見た甘い夢。哀しくも愛しい
熱情。はとりも、綾女ですらつらくなったものを、紫呉は確か
な形で手に入れようとしている。たとえそれが誰かを傷つけ
ることになっても。その犠牲者が透だったとしても……。

助
言
者

捕まえられるもんなら
捕まえてごらん

そう
罰われ
たら

期待に
応えたく
なっちゃう
でしょう？

もう少し
真面目に
お仕事して
下さい

お仕事
大切で
しょう？

自分が
一番
大切ですよ

はぁ？
僕は
いつだって

# 逃亡癖、それとも
# 担当イジメ?

人生楽しければそれでいい。もっとも大切なものは自分。それが紫呉の生き
方。ひと言で言えば、享楽主義者。そのイタズラ心の矛先はほとんど夾と編集者に向けら
れる。もっともお気に入りの遊びは、逃亡。…普通やんないけどね、あとが恐いから。

## みっちゃん（担当さん）

紫呉の小説を担当している
編集者。異常なほどの心配性
で、少しでも原稿が〆切に間
に合いそうになかったり、紫
呉が行方をくらませたりする
と取り乱し、自殺を計りかけ
る。そのサマがおもしろいの
か、紫呉は度々ワザと失踪し
て彼女を困らせている。
そんな紫呉に彼女は言
う。「どこへ行こうと、追
いかけますからね……っ」

ぜ…っ

締切りを守れない人が
立派な
一大人ですか…っ

あら

27

彼女は俺にとって「春」だった
暗く閉ざされた本家の中で
いつのまにか冷え切った「雪」に
なっていたのが俺なら
彼女は新鮮で鮮明な
「春」だった
まるで　それが必然のように
愛した

身長／182cm
体重／69kg
血液型／A型
星座／蟹座
草摩家主治医
ニックネーム／とりさん
　　　　はーさん　ハリィ
記憶隠蔽操作を担当。
慊人の暴力で、左目の視
力をほぼ失う。

DATA●はとりのコト

十二支●辰

# 草摩はとり

SOMA HATORI

草摩家の主治医。その主な患者は、当主の慊人。彼曰く「慊人の特技はすぐ病気になることだからな」。また、由希が気管支炎の発作で倒れたときや、透が風邪をひいたときなどには、紫呉の家まで往診にも出かけている。

草摩家の秘密を知った者への記憶隠蔽も彼の役割だ。彼はその能力を慊人の命令が下されたときにだけ行使する。これにより大切な記憶を失ってしまった犠牲者もいれば、心の傷を癒せた者も存在する。

紫呉や綾女とは幼なじみで、高校も一緒。真面目な性格だが、紫呉への注射をワザと打ち間違えたりするなどのお茶目な一面もある。

↑綾女は、はとりの言うことには逆らわない。というよりも、はとりの言うことしか聞かない。そのため、彼は綾女操縦係として要らぬ苦労をしているのだった。

**綾女の世話係**

↑透のことを「ひっどいブス」と酷評した慊人。そのことを紫呉から聞いたはとりは、こう答える。「慊人は理解っていない」

28

## 雪解けの陽差し

閉ざされた本家の中で、はとりが出会った唯一の春。雪が溶けると春になると言った彼女。はとりの正体を知ってなお、「私は拒絶しないで」と、「側にいたいの」と言った彼女。だが、ふたりの夢は、あっけなく終わった。慊人に結婚の許しを乞いに行ったその日に。傷付けられたはとりの左目と佳菜の心は、二度と元には戻らない。

## 心を守るために…

はとりは多くの記憶を隠蔽してきた。慊人に言われるままに、誰の記憶でも消した。由希の友人の思い出を消し、紅葉の母の苦しみを取り除いた。そんななかで出会ったのが佳菜だった。だが、佳菜もまた……。病んだ彼女の心を救うため、はとりは記憶を隠蔽する。佳菜の最後の言葉は、「守ってあげられなくて、ごめんね」だった。

### DATA●佳菜のコト

仕事の助手としてはとりと出会い、やがて彼と愛し合うように。だが、慊人の命令により記憶を隠蔽される。現在は、新しい恋人と出会い、結婚した。

# 草摩佳菜
**SOMA KANA**

草摩家の「外」の人間。当然、十二支憑きのことも知らずに、はとりと付き合い始めた。明るく無邪気な女性で、はとりが初めて変身した際には対処に困り、思わずタツノオトシゴをお風呂に投げ込んでしまったことも。

ソリが合わなくても　食い違っても
いいじゃないか
きっと君にないものをボクが持ち
ボクがないものを君が持って生まれてきたのさ
…ボクは君の持つ弱さや優しさは
とても尊いものだと思っているよ

DATA●綾女のコト

身長／175cm
体重／63kg
血液型／O型
星座／射手座
オーダーメイド手芸店
「あやめ」経営
ニックネーム／あーや
草摩由希の兄。
高校時代は生徒会長だった。

十二支●巳

# 草摩 綾女
## SOMA AYAME

紫呉が「王さま」と称する、超自己中心的人物。一般人には理解不能なことを、高飛車な命令口調でベラベラとまくし立てるせいか、誰も彼には逆らえない雰囲気がある。事実、綾女ははとり以外の人間の言うことには一切従わない。

だが、そんな破天荒な行動が人々の心を掴むのか、なんと彼は高校時代に生徒会長を勤めあげている。それこそが、本人曰く「比類稀なる、さながら王家の気品漂うカリスマ性」のなせるワザなのかもしれない。

弟の由希との仲は、最悪。綾女は由希のことをとても愛おしく思っているのだが、一度出来てしまったミゾは、そう簡単には修復できないようだ。

手芸店「あやめ」の正体とは——!?

男のロマンなのさ!!

ロマンを売る店「あやめ」。ここにはメイド服やナース服、ウエディングドレスなどをオーダーメイドする客が訪れる。男性の・・・。

高校時代の綾女がなぜ長髪で許されていたのか、その釈明がこれ。話はこのあと延々続くが、続きは『フルバな言葉』にて。

30

本当に理解しなくてはいけないのは
忘れてはいけないのは
子どものころの自分だって
子どものころ 感じた気持ちを
ちゃんと忘れずにいれば
大人になっても親になっても
理解しあえる
100%は無理でも
歩み寄ることはできる

# 振り払った 小さな手

綾女は後悔している。後悔というよりは、懺悔に近い感情。救いを求めてきた小さな手を、幼い由希が差しのべた、最初で最後の震える手を振り払ってしまったこと。痛みに鈍感で、無関心だった過去の綾女。自らが作ってしまったミゾを埋めようと、今、綾女は必死に戦っている。由希が自分に「無関心」にならないように……。

# 憧れと友情

綾女ははとりの前では素直になれる。はとりは、綾女にないものを持っているから。欲しいと思っているものを持っているから。かなわないと思う。そして、綾女は気付く。「……透くんって、君に少し似ていたよ」他人のことにばかり一生懸命になるところや、欲しいと思っている言葉を言ってくれるところが……。

KURAMAE MINE

# 倉前美音

綾女の良き相談相手。綾女と由希との確執も知っており、由希らが「あやめ」を訪れた際には、さりげなく透を連れ出して兄弟水入らずの場を作ったりもしている。自分の趣味でメイド服を着ているような、ちょっぴりズレた感性の持ち主だが、縫製の腕は確か。

負けないよっ
私の愛の力はどんな障害だって乗りこえるのっ
いいトコも　悪いトコも　全部受け止めるよっ
たとえ夾くんがホントの姿になったって
私は受け止めてみせる…

DATA●楽羅のコト

身長／160.5cm
体重／51kg
血液型／B型
星座／蟹座
私立女子短大1年
夾くんのことが大好き。
女ながら武道の達人でもある。
趣味は手芸（猫グッズ作り）。

十二支●亥

# 草摩楽羅
### SOMA KAGURA

恥ずかしがりで、夢見がちな女の子。幼いころから夾のことが大好きで、全身全霊をかけて彼にせまっている。バレンタイン前日には、わざわざ海原高校にまで押しかけて行ったりもしたが、そういった一途さがかえって、夾に避けられる原因にもなってしまっている。

趣味は手芸。作るものは、もちろん猫グッズ。いつも背負っている猫さんリュックも彼女の手作りだ。

感情が高ぶるとまるで別人のような乱暴者に。特に、夾を相手にするとテンションはさらにヒートアップ！籍真の道場で鍛えた格闘センスは、夾を越えているかも!?

## 4か月ぶりの過激な再会

→楽羅の爆弾発言！でもこれって確か子どものころに脅して強引に言わせたヤツだと思うんだけど……いいのかな？

## 恋は猪突猛進！

楽羅の恋は、一途である。一途すぎて暴力的ですらある。というか、もうすでに暴力沙汰だ……。それが亥憑きの特性なのか、単なる性格なのか、彼女はいつも突っ走っている。まさに猪突猛進！目標は、もちろん夾くん。夾のことを思うと、楽羅の胸は高鳴り、頬は上気し、力がみなぎり……気付くといつも大暴れしたあとなのだった。

私も楽羅さんみたいに
好きな方の素敵なところを
見つけられる人になりたいです
それはとても素晴らしいことと思うのです!!

## 恋の理由

楽羅は夾に夢中だ。だが、夾にはそのことが理解できない。猫憑きの自分なんかに、なぜこだわるのか？　普通は避けたり、距離を置くのに。しかし、楽羅はその理由を語らない。聞けば、夾くんが泣いちゃうから……。
「気付いてないの？　それは、夾くんのほうからだったんだよ？」

ボクは目を閉じて　旅人のことを考えてみた
だまされて　頭だけになってありがとうと泣いた
旅人のことを考えてみた
そして　思ったんだ
ああ　なんて
愛しいんだろう
…って

身長／155.8cm
体重／47.5kg
血液型／O型
星座／魚座
都立海原高校１年
ニックネーム／
　もみっち
ドイツ人の母と日本
人の父とのハーフ。

DATA●紅葉のコト

SOMA
MOMIJI

十二支●卯

# 草摩紅葉

日本とドイツの半分コ。まるで小学生のような幼い外見だが、実は透よりひとつ年下なだけだ。このことに半年近く気付かなかった透は、驚きのあまりパニック状態に。

透と同じ海原高校に入学したが、なんと制服は女子のものを着用！(ただし下はショートパンツ)　理由は「こっちのほうが似合うもん」。

マイペースで、少し子どもっぽい言動をするところもあるのだが、精神年齢はかなり大人。自分の存在を拒否した母のことも恨むことなく受け入れ、さらに、兄とは名乗れないものの、妹のモモのことも深く愛している。

無邪気な天使…!?

はしゃぎついでに
女の子に激突しかね
ないからね

ボクね　学校でね
はしゃぐなって
言われてるの

Sehr hübsch!

!!

Sieh do!!
Welch ein
Glück!!

なんとトールの
高校に通う
事になったんだ!!

ホントだよ
高校一年生
だよ!!

ハルと
一緒にね!!

fünfzehn
Jahre alt

よかったね
ナスくんと
仲よくて

やっと
なごんで
きたな

夜はトールのバイトのお手伝い！ここは紅葉の父親が経営している会社、つまり草摩所有のビルだったのだ。

はい？
え時の
流れって
早いねぇ

34

ボクは思うんだ
ボクはちゃんと思い出を
背負って生きていきたいって
たとえばそれが
悲しい思い出でも
ボクを痛めつけるだけの
思い出でも
いっそ忘れたいって
願いたくなる思い出でも
逃げないでがんばれば
がんばってれば　いつか……
いつかそんな思い出に負けない
ボクになれるって信じてるから

信じて

…いたいから

思いたいから

忘れていい思い出なんて ひとつも 無いって

Mutti!!

# 見守るだけの…

紅葉の母親は、紅葉を拒絶した。十二支憑きの子を持った母親は、それを拒絶するか、必要以上に過保護になるという。彼女は紅葉を拒み、彼を生んだ記憶すら捨て去った。そして、紅葉には父親だけが残った。自分を捨てた母。それでも大好きな母を遠くから見守るために、紅葉は父のビルに通い続けている。

それは…
それは とっても…
かなしい 気持ち なの…

# 喜ぶ顔を見たいから…

ボクね…　ボク　クラスで
そういうのってされたことないの
だから想像するしかできないけど
想像してみたの
ボクが何か言うたびに
クスクス笑われたら
どんな気持ちになるだろうって
それは…それはとっても…
悲しい気持ちなの…

学校でいじめられている杞紗。そんな彼女に、紅葉は自分を重ねてみる。悲しさに息が詰まる。目の前が真っ暗になる。杞紗の痛みが、紅葉のものになる。紅葉は人の痛みに敏感だ。だれかにとってバカな人でも、彼にとってはバカじゃない。ただ本当に喜ばせてあげたいと思う。それが紅葉の喜びになるから。

明日トール!! 温泉旅行をプレゼントします!!

一日遅れだけど

3月14日は ホワイト・デー!!

物の怪憑きの子どもを生んだ彼女は、精神を病んでしまう。そのため、自らすすんで記憶隠蔽操作を受け、子どもを生んだこと自体を忘れ去ってしまった。

DATA●Muttiのコト

Mutti

# 紅葉の母

ドイツ出身。草摩一族である紅葉の父と、大学生のときに出会って結婚。紅葉を生む。記憶操作の結果、紅葉のことはほかの草摩一族のだれかの子どもだと思っている。現在、小学2年生の娘がおり、よく一緒に紅葉の父を仕事場まで迎えに行く。

牛はバカでマヌケだから
そんな利用されるんだって
ガキの頃からまわりの大人に笑われてた
もちろん大人は冗談半分
だったんだろうけど　俺は
溌春自身がバカだマヌケだって
笑われてる気がした

DATA●溌春のコト

身長／170.2cm
体重／57.5kg
血液型／O型
星座／蟹座
都立海原高校1年
ニックネーム／
　　ハル　はーくん
イライラが溜まると
突然キレる。
人はこの状態をB
ラック
ハルと呼ぶ。

SOMA
HATSUHARU

# 草摩溌春

十二支●丑

楽しくなっていってほしい

雨の中、びしょ濡れになりながらも家出した杞紗を捜す溌春。放っておけない、似てるから。話さなくなった由希に。

普段は物静かで礼儀正しく、年齢よりも大人びて見える。だが、キレると豹変！手の付けられない乱暴者「ブラック春」となって、周囲のものや人に当たり散らす。
　格闘が趣味で、先輩格の夾を負かすことが現在の目標。
　初恋の相手は、幼いころにコンプレックスから自分を解き放ってくれた由希。今でも由希は彼にとって特別な存在だとか。透の隣で、由希が穏やかに笑うようになったことに気付き、透に感謝の気持ちを抱いている。
　極度の方向音痴で、本家から紫呉の家に行こうとして3日間迷ったことも。
　何事にもマイペースなのだ。

## ブラック光臨!!

幼少期に形成され、分離された人格——ブラック春。キレる理由はさまざまで、彼女に突然ふられた、夾が言うことを聞かなかった、生徒会長がくだらない説教をたれやがった、などなど。キレた潑春は、由希の手にも負えないほど凶悪化する。暴れ尽くし、からみ尽くし、クリティカルヒットを与えるまで止まらないのだ。

ぁあ…!?

いいぜぇ
なんならもう
いっそのこと

やっちゃう？

は

男だったら
どんな勝負も
かかってこいよ

子猫ちゃん…っ

うるせぇ…

お山の大将気取ってんなよ
耳障りなんだよ

クソ野郎っ

三つ折り靴下はいてりゃ
カツアゲしねぇのか?
ピアスしてなきゃ
いじめしねぇのか?
髪が黒けりゃ人殺さねぇのかよっ
何様のつもりだ
てめぇ　神様か!?　あ!!?

## 心の枷

わかった…

それは嘘だったんだ

嘘だ

…そうなの?
君はそうなの?
…本当にバカなの?
「違う…違うよ　俺…
俺…バカじゃ…ない
バカじゃないよ…
決めないで
俺の価値を勝手に
決めて笑わないで…」

俺の初恋は
由希だから

ガショ

十二支の逸話を引き合いに、牛はマヌケだバカだと笑われ続けていた潑春。それは大人のたわいもない冗談だったが、しかし、彼の心を深く傷つけた。卑屈になった潑春はイライラしてキレやすくなった。そして、鼠を憎むようになった。だが、そんな潑春の心の枷をはずしてくれたのは、子である由希のひと言だったのだ。

## 行き場のない想い

十二支同士の恋。内緒の恋。だが、軽い気持ちで付き合っていたわけじゃない。どうしても必要な人だったのに……。大けがで入院した彼女は、突然別れを口にする。「もう君いらないから」潑春はどうしていいか分からずに……。

会いたくてしょーがないんだ……

どうか嫌わないで　大丈夫だよって　言って
いつも恥ずかしくて　弱い自分が恥ずかしくて
でも　言って欲しい
一度でいい　ウソでもいいから
それはきっと「強くなりたい」と願う
　　　　　　　　　　　勇気になる

身長／145cm
体重／32kg
血液型／A型
星座／魚座
私立中学1年
ニックネーム／
さっちゃん キサ
髪の色が原因で、学
校で無視されるなど
の陰湿なイジメに遭
い、話せなくなった。

DATA●杞紗のコト

# 草摩杞紗
## SOMA KISA

十二支●寅

小柄で引っ込み思案な少女。
いじめが原因で言葉を失い、不
登校に。さらに家庭でも追いつ
められ、ついには家出。溌春に
発見されたときには、体が弱り、
虎の姿になっていた。

　いじめられていることを母に
すら言えず、たったひとりで苦し
んでいたが、透や由希の言葉に
よって、ほんのちょっぴり戦う勇
気を得る。その後は、休みのた
びに紫呉家を訪れるほど透に
なつき、表情にも明るさが戻り
つつある。

　幼なじみの燈路とは、ある出
来事が原因で中学に入学した
ころから遊ばなくなっていたが、
今ではまた仲の良い友だちに。

　慊人の八つ当たりを受けた
犠牲者のひとりでもある。

お母さんに
いて……
くれるから

……がんばれる……の

私……
お姉ちゃんの
側にいると
あったかく
なるんだぁ……

……うん

お兄ちゃん達も
お姉ちゃん達も

## みんなが勇気になる

透の「大好きです！」
という言葉が、ぎゅっ
と抱きしめてくれる
腕のぬくもりが、杞
紗の心を勇気づけ
てくれる。

# 自分を好きになる戦い

杞紗は学校でいじめられていた。髪の色が違う、瞳の色が変だ…理由はそんな理不尽なことだった。それでも、杞紗はがんばった。たったひとりで反論した。だが、誰も聞いてはくれない。くすくすくすくす笑われるだけ……。先生は言う。まず自分を好きになりなさい、と。だが、そのためには、誰かが「大丈夫だよ」と言ってくれなければ……。

誰かに「好きだ」って言ってもらえて初めて…自分を好きになれると思うんだ…誰かに受け入れてもらえて初めて自分を少し許せそうな好きになれそうな気がしてくると思うんだ…

## 気付かぬ想い

そりゃあ オレは 何の力にもなれなかったけど 杞紗が大変なときに杞紗に何もしてやれなかったけど オレだって オレだって… オレだって杞紗のこと すごく…すごく 心配…して

「オレは杞紗が大好きだよ」このひと言が、慊人の逆鱗に触れた。杞紗は慊人にひどく殴られ、燈路は杞紗に近付けなくなった。だが杞紗は知らない。なぜ殴られたのか、なぜ燈路が突然冷たくなったのか……。戸惑うばかりの杞紗。しかし、透の存在がふたりの関係を変える。燈路の本当の心にようやく気付いた杞紗は……。

KISA'S MOTHER

DATA●お母さんのコト

物の怪憑きの子どもを生んでしまった彼女は、娘に対して必要以上に過保護に接するように。娘同様、精神的にかなり追いつめられているが、記憶の隠蔽は行っていない。

## 杞紗の母

突然、娘が話さなくなり、原因が分からずに悩んでいた。そこへ娘の家出が重なり、疲労はピークに。だが、娘を想う気持ちは深く、誰よりも娘のことを心配している。杞紗が話せるようになってからは、彼女も明るく優しい母に。

わかってるよ　ホントだよ
口ばっか達者で虚栄心のかたまりで
何もできないくせにっっ
子どものくせに…っ!
こんなガキな自分　死ぬほど嫌なのに
こんなんじゃない
こんなんじゃなくてもっと…もっと
立派な「大人」になりたいのに

DATA●燈路のコト

身長／150cm
体重／38kg
血液型／AB型
星座／獅子座
私立小学6年
ニックネーム／
ひー君　ヒロ
口を開けばヘリクツを並べ立てる、弁の立つ男の子。

SOMA
HIRO

## 十二支●未： 草摩燈路

大人の心を逆なでするようなクソ生意気な発言をマシンガンのように繰り出す少年。透の前に初めて現れた際にも、さんざん透を小バカにした挙げ句、彼女の大切な手帳をとったりしている。

だが、心の底では、自分が間違っていることに気付いており、このままじゃいけないとも思っている。本当の燈路は心優しく、ちょっぴり気が弱い羊さんなのだ。

杞紗とのすれ違っていた関係を修復してからは、彼女とともに透の元を訪れるように。透の言葉に小さな勇気をもらい、お礼にクレープをおごるなどの素直さも見せるようになってきているが……。

いけません
それは…

オレは
草摩燈路

まあ　もう会う
ことは無いと
思うけど、一応
名乗っておくよ

←透と燈路の初対面。いきなり透に突っかかってきた燈路は、彼女の手帳を奪って去っていく。手帳の中にはお母さんの写真が!

だから
ちゃんと
認めること
はとても…

うわぁ

うわっ

勇気を
持ってるって
こと…!

### ヘリクツの天才!

そん…

なーんて
言っときゃ

満足かい?

40

ここはいつからネコが主の家になった訳？

いっぱしの文句が言えるほど何かに貢献してる訳？あらゆる税金払ってる訳？

やだやだ なんの責任も果たしてないクセに文句だけは多い奴って！

じゃあ何 オレに著れって言う訳？年下にたかるってカツアゲしていいと思ってる訳？

自分が欲しい物持ってる奴がいたら利己的な人間で…！！ やだやだ

愚か者っ

何 マジで拾ってんのさ

# 反抗期真っ直中！

アイデンティティーとかポリシーとか持ってないわけ？
廻れって言われたら廻るわけ？ 転べって言われたら転ぶわけ？
やだやだ 主体性を持ち合わせない人間で!!

じゃあ何 礼儀って言われたらなんにでも従う訳？

死ねって言われたら死ぬ訳？ 殺せって言われたら殺す訳？

それはまた御立派なコトっ

は

このヘリクツ小僧…っ

ランドセルしょった クソガキのくせしやがって…っ

何 そのガキにムキになってんの

早く立派な「大人」になりたい。そんな思いが、燈路にヘリクツを言わせている。「アイデンティティーとかポリシーとか持ってないわけ？」「問題提起だけなら鼻たらしたガキにもできるんだよっ」とどまるところのない燈路の毒舌。でも、本当は分かっている。「なんでこんな…ガキなわけ？…オレ」今のままじゃ、いけないこと……。

嫌なら逃げてくれる場所に連れてってあげたいから

…杞紗はアイツが 好きだから

自分はまだ「子ども」だと 自分自身で認めるのは
とても怖くて 避けてしまう人も多いって
…だから だからちゃんと認めることができる人は
とても…勇気を持っているって…
燈路さんは何もできなくないです
杞紗さんを守る素敵な王子さまになってゆけます
だって 燈路さんの胸の中に
ちゃんと勇気があるのですから

嬉しい事があった…っ

見てろ

なんて…こんな

しれないのに…

子供な 訳？ …オレ

大好きな人のかたになるのは いつって

悔しい

# 小さな恋のライバル

慊人との事件で、人を愛することに臆病になってしまった燈路。だが、ずっとずっと気になっていた。学校でいじめられている杞紗のことが。救ってやりたいのに、声すらかけられない……。そこへ透が現れ、程なく杞紗に笑顔が戻った。自分には出来なかったことを、簡単に成し遂げてしまった透。燈路は彼女に軽い嫉妬を覚えるが……。

私はどうしてどうして　こう　いつもこう…からまわって　周りを困らせてばかりなのでしょう…っいっそ…いっそ私のような人間は　世を儚むべき存在なのかもしれないのに　その根性すらありません　そうです　私は何の役にも立たないのに　生に対しては人一倍図太いのですそんな自分が腹立たしい…‼

身長／174.3cm
体重／59kg
血液型／AB型
星座／山羊座
私立大学3年
趣味／格闘技
ニックネーム／
　りっちゃん　りっちゃんさん
パニックを起こしやすい。常に
振り袖を着て女装している。

DATA●利津のコト

十二支●●●申

# 草摩 利津
## SOMA RITSU

非常に気が弱く、男性の服を着ると萎縮してしまうとの理由で女装している大学生。大学へも振り袖で通学している。

母親と同様、パニック状態になりやすい性格で、自分の失敗や、他人が何気なくもらした些細な皮肉に敏感に反応。その取り乱し様は尋常ではない。ちなみに、暴れているときは、脇をプッシュすると正気に戻るとか。

紫呉家を訪問した際には、紙袋の底が抜けたと言ってはパニくり、お土産を気に入ってもらえなかったと言ってはパニくり、お皿を割ったと言ってはパニくり、挙げ句の果てには屋根に登って自殺までしかけるが……。

ちゃんときいてみたくて…

↑女性と見間違うほど、きれいで物腰の柔らかい利津。誰もがうらやましいと思える外見も、彼にとってはコンプレックスの種でしかない。しかし、そんな利津も変われるかもしれない。透の言葉で……。

こんな私に罰を…天罰を！

いっそ私のような人間は世を儚むべき存在なのかもしれない

その根性すらありません

そうです私は何の役にも立たないのに生に対しては人一倍図太いのです

そんな自分が腹立たしい…‼

42

りっちゃんさん!?

!?

!?

いやあっ
見知らぬ方まで
悪名高かったとは
露知らず
暮らしておりました
ごめんなさい
同じ名前の方々も迷惑
かけてごめんなさい

そこまで私の名が
のうのうと

あの

ぁぁ

ごーめーんな

うっそ
冗談よ

いやぁぁぁぁ

図太くていいじゃないですか…っ
だって　だって
人間は生きているから…
生きているからこそ
そうやって　泣いたり
悩んだり…　喜んだり…っ
この世に生まれた理由だって
理由なんて!

ごめんなさい
あんな…
いますいます
め　め　め

温泉行く
だね

利津…

本当に
好きなんだ

うりゃっ

と

# 自信を持つということ

利津は毎日、人の顔色をうかがいながら生きている。自分に自信が
持てない利津。自分には生きる価値などないのだとまで思っている
利津。だが、透は彼に言う。「図太くていいじゃないですか……」た
だ生きているだけでいい。この世に生まれた理由なんて……。透の
言葉に、利津は何かを感じ取り……。

ごめんなさいいいい
すいません
しません

よ……

ようこ…そ
いらっ…しゃいま…

ガタ…

した……

爽ちゃんんんっ

あろうことか婦女子と何室がいいなどと
たとえ貴方が嫁であろうとたとえ子が
いい子と信じていたのに　いつからそんな
おおおおろしやぁぁぁぁぁぁぁぁぁぁ
イイイインランなぁぁぁぁぁぁぁぁぁ
子に成り下がって

おめぇの
方がおそ
ろしいよ!!

本当に
体調悪いの?

貴方のかわりに
私があやまります
世界中を
あやまります
インラン
ごめんなさいいいい

ごーめーんな
さーいーっ

いいよ　もう
って由希と同じ
部屋でいい!!

DATA●女将さんのコト

体が非常に弱い
ため、療養を兼ね
て、草摩の経営す
る温泉の女将をし
ている。周囲の人
間が恐怖を感じる
ほどパニックを起
こしやすい。

# 利津の母

目の下のクマとほつれた髪が、いかにも病弱そうに見え
る女性。一応、旅館の女将を務めているが、普段の女将
業は別の人間に任せている。「いわゆる影の大番長とい
ったところでしょうか……」(本人談)。利津と同じく突然
パニックに陥ったりするが、彼と違って、そのきっかけは不明。
そういった意味では、彼女のほうが格段にコワイかも。

もう一度教育し直すしかないかなぁ
君専用のあの部屋で
もう一度　一日中
君の人となりを
教え直すしかないのかなぁ

身長／163.8cm
体重／43kg
血液型／AB型
星座／蟹座
草摩家当主
暴力と権力で、草摩家を統治している。
病弱なため、屋敷外へ出ることは少ない。

DATA●慊人のコト

# 草摩 慊人
## SOMA AKITO

透と初めて接触した慊人。彼のおだやかな笑顔を見て、だが、透は怯える。目が少しも笑わない、怖い人だと……。

……由希違の事も

どうぞよろしく……

幼い由希を、狭く暗い部屋に押し込めた慊人。その目的は何だったのか？　そして、彼と猫憑きとの関係は……!?

## 慊人という悪意

草摩家当主である慊人。彼はその権力と暴力で、草摩家を統治し、十二支たちの心を支配している。そして何よりも、十二支たちの愛が、自分以外の者に向けられることに激しい嫌悪を示す。
だが、なぜ彼はそこまで冷徹になれるのだろう？　彼が真に望んでいる終着点とはどこなのだろうか？　慊人の心の闇は、まだ謎のままだ……。

「僕の事
忘れられない
証拠だよね」

どうして
お正月に

どうして
そういう事
するの？

悪知恵働いて
けっこう悪知恵になったのに

「由希も
必ず僕の処に
帰ってくるよ」

「だって僕を怖いと
思ってるもの」

もう一度
教育なおさなきゃ
しかないかなぁ

サボったり
したの？

# 草摩家 —呪われた一族—

SOMA FAMILY

草摩家には、十二支と猫の物の怪が取り憑いている。取り憑かれた人間は、ある条件を満たすと物の怪に変身してしまう。時間が経てば人間の姿に戻れるが、その長さはまちまちで、決まっていない。

この呪いは何百年も前から続いてきたものだが、物の怪に取り憑かれる人間の条件は、未だにはっきりとは分かっていないようだ。同じ家族でも十二支に憑かれるとは限らない。どちらかといえば、由希と綾女のように兄弟で取り憑かれるほうが珍しいようだ。

**十二支憑き**

## 呪い

**語られぬ呪いの本質**

草摩家の呪い。それは、動物に変身することとはまた別のものとして存在している。はとりが、奇怪で陰湿とまで言い切る、呪いとは……。

もっとも有力な説として考えられるのは、草摩家の人々に、何よりも暗い陰を落としている存在、草摩家当主・慊人だ。彼は、絶対的権力者として草摩家に君臨し、従わない者は暴力の制裁を受ける。特に彼は、十二支憑きが誰かを愛することを極端に嫌う。彼の異常で、不可解な行動──それが呪いの本質なのだろうか?

十二支の秘密を知っているのは、草摩家のなかでもごく一部の人間たちのみ。記憶を操作することが出来るというはとりの能力を使って、一族は外部に秘密が漏れるのを防いできた。由希の幼いころの友だちも、変身を見てしまったために、由希に関する記憶を抹消された。紅葉の母親も記憶を変えられ、紅葉を一族の別の人間の子どもだと思い込んでいる。また、はとり自身も、恋人から自分の記憶を消している。命令を下すのはもちろん慊人だ。

**記憶隠蔽**

## 掟

**十二支たちの宴会**

十二支たちの宴会──昔話として語られる出来事が、草摩家では実際に行われている。本家で元旦に行われる宴会は、十二支憑きしか出席を許されない厳粛な行事だ。そこでは、新年と旧年の十二支が舞いを踊ることになっている。

だが、この行事にも、猫憑きは参加出来ない。理由は分からない。誰も知らない。ただ、昔からの決まりでそうなっているのだ。

この宴会の掟と十二支決定のおとぎ話、そして呪いとは、何か関係があるのだろうか……?

# 十二支

## 変身の条件

十二支の物の怪に取り憑かれた草摩家の人間は、異性に抱きつかれると、その動物に変身してしまう。両親・兄弟も例外ではない。生まれたばかりの我が子を抱いた瞬間、子どもが変身してしまう……紅葉の母はそのショックから脱せずに、紅葉を拒否し続けた。ただし、十二支同士なら抱き付いても変身することはない。

また、体が弱っているときなども変身しやすくなる。寒さが苦手な巳年の綾女は、あまりに気温が低くなると変身してしまう。どの場合の変身も時間が経てば元に戻るが、自分ではコントロールすることができない。

## 十二支の特性

仲間を引き寄せる

各動物の特徴が身に付く

十二支に取り憑かれた人間は、その動物に好かれやすくなる。由希には鼠が、夾には猫が……というように、勝手に周囲に寄ってきてしまうのだ。もちろん呼び寄せたり、操ったりすることも可能。由希は鼠を操って、透の荷物を土砂崩れの下から掘り出している。

また、各動物が元々持つ特性も身に付くようだ。猫憑きの夾は高いところから飛び降りても平気だし、申憑きの利津も体が身軽だ。楽羅が何をするにも猪突猛進なのも亥憑きだからか……？

もうひとつの特徴として、髪の色がその動物の体毛と同じになってしまうことが上げられる。夾のオレンジの髪、潑春の根元が黒い白髪もすべて地毛だ。学校には、草摩家から説明をして納得させているらしい。それでも、規則にうるさい先生や生徒会などは、あまり快く思っていないようすだ。

## 本来の姿

呪いに取り憑かれた人々のなかでも、特異な例が猫憑きである。実は、猫憑きにはもうひとつの姿がある。それは、まるで化け物のような異形の姿だ。これが猫に憑かれた者の本来の姿であり、普段は左手の数珠で封印している。このため、猫に憑かれた人間は、草摩家のなかでは忌み嫌われる存在のようだ。夾の前の猫憑きであった籍真の祖父は、ほとんど幽閉に近い状態で生涯を終えている。

十二支ではない猫の物の怪が、なぜ草摩家に憑くことになったのか。なぜ、猫だけがあのような異形の姿なのか。その理由はいまだに明らかにされていない。夾によれば、その元凶は由希に取り憑く子の物の怪のせいらしいが……。

草摩家は桁外れに広い。立派な門の内側は長い並木道になっており、その両側に一族の者100人ほどが暮らしている。だが、本家はさらにその奥にあるのだ。

本家には50人ほどの人間がいるが、彼らは皆特別で、十二支の秘密を知っている者のみが住んでいる。本家に住む者は「中の人」と呼ばれ、「外の人」との間には身分差のようなものが存在するらしい。十二支憑きは中に住むのが原則だが、成人後は自由な場所で暮らすことが許されている。

## 中と外

## 敷地

## 施設

## 猫憑き

## 温泉

## 別荘

## 温泉／別荘

猫憑きの人間は、雨が苦手になる。雨の日は体調が悪くなるという。猫は水を嫌うものだから、そのせいなのだろうか。それとも、本来の姿である物の怪が雨を嫌うからなのか……。

直視できないほどの醜い姿、吐き気をもよおす臭気——異形の本性を持つ者として、十二支の輪のなかにも入れず、草摩家のなかで虐げられ続ける猫憑き。呪われた存在のなかでももっとも呪われた存在である彼の謎が明かされていくとき、草摩家の呪いもとけるのだろうか……？

## 雨降り

草摩の一族は、全国のあちこちに保養地を持っているようだ。作中に登場しているものとしては、温泉旅館や、湖のそばの別荘などがある。ちなみに温泉旅館は草摩一族が経営しているが、一般客ももちろん宿泊可能で、かなり広い。

また、紅葉の父は大きな自社ビルを持つ、かなり大規模な会社の社長らしいし、貸し切りバスで温泉に行ったこともあるので、もしかしたらバス会社も経営しているのかもしれない。温泉旅館でも、一族の女性が女将として働いていたので、同族会社はまだまだありそうだ（綾女の店は違うと思うけれど……）。由希が把握しきれなくなるのもわからなくはない。

なのに ウソだろ 欲しいとか
羨ましいとか思うなんて
夕闇せまる街 夕げの香り 帰りを待つ人
ほほえんで迎えてくれる優しい人
…あたし もしかして
寂しかったのかな
もう もうずっと前から
寂しかっただけなのかな

身長／168.5cm
体重／47kg
血液型／O型
星座／水瓶座
都立海原高校2年
ニックネーム／うおちゃん
ヤンキー
元暴走族。透と出会い、族を抜ける。父親とふたりで暮らしている。

DATA●魚谷のコト

# 魚谷ありさ　UOTANI ARISA

透の親友。小学5年生にして暴走族デビューという華々しい経歴を持つが、現在はすっかり足を洗って、普通のヤンキーに。もともと血の気の多い性格のようだが、透のこととなるとさらにケンカっぱやくなる。爽とはいいケンカ友だちになりつつあるようだ。

赤い蝶と呼ばれていた透の母・今日子に強い憧れを抱いていた。中学で透と最初に出会ったときは、母親とのイメージのギャップに反感を抱いたが、透の一生懸命さや人を差別しない態度に次第に心を開いていった。今日子亡き今、透を助けていくと墓前に誓っている。

ガンバレ。

昔の自分への
エール…?

明かりの消えたアパートの前でたたずむ魚谷。そこは、透と今日子に出会った場所。楽しくて温かくて、ちょっぴり甘酸っぱい思い出が詰まっているところ。だが、そこに再び明かりが灯ることはない。嘘だろう? 死ぬなんて……。

嘘だろう?

夏って
いやぁ

やっぱアール
だよなぁ

今でもひょっこり現れそうな気がするんだよな

## 情にもろい姐さん気質

叱ってほしいだけなら いつだって 叱ってやるからさ

なめられてるうちが　華だよ　嬢ちゃん
自分を誇示したいだけなら
方法はほかにいくらでもある
そんなとんがり方は今のうちにやめときな
シャレにならなくなる前に
叱って欲しいだけならいつだって
叱ってやるからさ

最悪なのはてめえらの性格だろ タコ…

学校に鉄パイプ持ってこないでよ!!

これはなぁ今日子さんからもらった由緒正しい

赤い嬢の特攻隊長服なんだぜ!!

赤い……嬢？

魚谷は、身内に甘い。自分を慕ってくる者、頼ってくる者には必ず応える。それは、彼女が本当の暗闇を見たことがあるから……。ヤンキーになりたての中学生が、手っ取り早く名をあげるために魚谷に突っかかってきたときも、彼女はそれをやんわりといさめた。「なめられてるうちが華だよ」温かく、奥深い言葉……。

## 光と影—必要なもの

一緒のはずだろ！

"肩の力をぬいただけだよ"

あたしがこうしてカタギの世界で笑ってられんのも

透いてくれてるだしなっ

だからつまづいて間違ってもそれはムダじゃないさ

……これ

ワタシ論

「ムダにするもんか」って思ってれば

きっと自分を育てる肥やしになるさ

ウソだろ

……っ

羨ましいとか

痛みには優しさが必要で
暗闇が目立つにはお陽さまが必要で
どっちもバカにできない
どっちもムダなモノじゃない
だから　つまづいて間違っても
それはムダじゃないさ
「ムダにするもんか」って思ってれば
きっと自分を育てる肥やしになるさ

透との出会いを経て、自分の本当の気持ちに気付いた魚谷。もうこんな自分はやめたい、変わりたい。そう願い、彼女は暴走族を抜けることを決意する。だが、族抜けの制裁は凄惨を極めた。そこを救ってくれたのは、今子だった。帰り道、彼女の背中で魚谷は泣く。「あたし、透の親友になりたいんだ……っ」それが魚谷にとっての光だから……。

誰かを大切に思うのは
少しつらいときもあって
さびしくもなったりして
でも　うれしくしてくれるものよね
やっぱり私の弱点はいつだって
透くんなのよね…

身長／162cm
体重／52kg
血液型／AB型
星座／牡羊座
都立海原高校2年
ニックネーム／はなちゃん
魔王
前の中学校で問題を起こし、透らの通う中学へ転校してきた。

DATA●花島のコト

# 花島咲 HANAJIMA SAKI

　透の親友。ほとんど表情を変えないミステリアスな美少女。「…」の多いローテンションな口調で喋るが、言ってる内容はかなり毒舌。そんな彼女も、透に対しては非常に優しい表情になる。

　人の飛ばす電波をキャッチできるという特異能力の持ち主。また、毒電波を他人の脳内に飛ばして、苦しめたりすることも可能。

　基本的に無気力で、特に勉強に関してはまったく意欲を見せない。おかげで毎回全教科赤点。でも「追試のほうがラクよね…」と、わざと手を抜いているふしもある。

　透・魚谷とは、中学2年で転校して以来の付き合い。

←マラソン大会にて。スタートの合図とともに地面に倒れ込む咲。何事にも無気力に取り組むのが、彼女の戦略なのだ。

私はもう走れない…

ピ・ク

そう？

よ………

透君には

これは多分…カッコウの雛と同じ為があった結異なのよ…

…わかったわ

猫と鼠…

電波情報
恐るべし!!

「好き」なら
何を言っても許されるなんて
思ってはいけない…
一方的に高まった愛情をぶつけると
相手の重荷になったり
傷つけてしまうときもあるのだということを
忘れてはいけない…
相手の気持ちを尊重し
思いやる心を忘れてはいけない…

…そんな事

どうだって
いいのよ…

透君の為に
何かしたかった
……それだけ

がんばった
のね…

……
透君は

黒い靄に覆われた透の何を
わかっているの？

黒い靄に覆われる透が可哀相！

草摩由希、如きのせいで

# 思いやる心

透は咲にとって、初めての友人だった。透はいつも咲を嬉しくしてくれる。今ここにあるものを大切だと思える気持ちを教えてくれ、悲しみから立ち直る強さを見せてくれる存在。そんな彼女が、草摩家の人々と親しくなるにつれ、咲は寂しさと嫉妬心を覚えるようになる。その心を戒めてくれたのは、素子に対する弟の言葉だった。

退院したと
思うし…

今はもう

同級生だったあの子
(飼育係)

小学四年生の時

なんか
きゃ
がった〜！！

ならいいけど…

# 脳に響く人間の思念

結局　生きている人間が
一番強いのよ…
電波も同じ…
死んだ人間の電波は
多分とても弱くて
今　生きている人間の
思念の強さの前では
かき消されてしまうんだわ…

そういうものは
あるなら話しもあるけれど…

あの二人は
聖痕の部類ね

あの思念が
ある限り
恋愛する余裕
無いんじゃ
ないかしら

咲の弟。中学生にして、なかなか悟ったことを言う。電波は飛ばせないが、名前さえわかれば、どんな相手でも呪うことができる。特技は呪詛返しをさらに返すこと。難しい技なのか、ちょっと自慢らしい……。姉と瓜ふたつの外見だが、本人たちはお互いに「似てない」と思っている。

HANAJIMA
MEGUMI

# 花島 恵

人を呪う事
だけ……

オレが
できる事は

咲の電波は物事の本質を見極める。人の特性を感じ取り、自らの電波を相手の脳内に送り込む。誰もが恐れる驚異の能力。だが、そんな彼女ですら、由希と夾の電波は解読出来ない。暗い影のおちた思念を持つふたり。特に、今日子の墓参りの日、墓前に立つ夾から感じた電波——何かに悔いるような思念はいったい何だったのか……。咲は追求し続けている。

# 「プリンス・ユキ」メンバー

新メンバーに「女」がいるのかいないのか

私達が問題視しているのはその一点のみなのです!!

なるほど……

いいえ　違います　あれは王子の天性の輝き…

由希の天性の光なのです…

会長／3年代表　皆川素子
2年代表　木之下南
1年代表　山岸美緒
3年メンバー　相田リカ

毎日が由希に始まり由希に終わる、由希にメロメロな人たちで構成されたファンクラブ。特に素子の熱狂度は凄まじく、ある意味楽羅以上。彼らの敵は、当然、由希と親しい女性。透はその最たる人物で、魔女と呼び忌み嫌っている。

このあたしに開けられない　学校の鍵なんてないわ!!

もちろん由希の為なら何でもするわ　安心して

## 草摩由希ファンクラブ「プリンス・ユキ」概要

なんとしても魔王の弱点を見付けだし

その弱点を以て毒電波を封じるのです!!

**活動内容**

クラブ・モットー
「みんなで我が校に舞い降りた王子を讃え 愛し 守ろう」
（意訳:ぬけがけすんなよ　このアマ）。
最近の活動実績
❶本田透の魔の手から王子を守るために、魔王こと花島咲の弱点を探る。→未遂
❷次期生徒会メンバーの内定者を探り、その中に女性がいないか確かめる。→未遂

**会員数**

海原高校女子半数以上
（実数は把握不可能）

**クラブ規則**
**（抜粋）**

❶王子の私物を盗まない
❷王子の自宅へ乗り込まない
❸話しかけるときは常に2名以上で
❹呼称は以下の通りに
〈3年生〉由希
〈2年生〉由希くん
〈1年生〉草摩くん

52

## 新生徒会メンバー

# 生徒会（またの名／学園防衛隊）

ノリが異様に暑苦しい生徒会。生徒会長とサポートの女性ふたりで構成されている。会長は熱血タイプなのか、ほとんどのセリフが絶叫調。だが、ちょっと強く出られると、途端に弱気に。校則絶対主義で、頭髪規定違反の多い草摩一族のことを快く思っていない。しかし、由希のことは異常なほど気に入っている。潑春曰く「バカ」。

新生徒会メンバーに内定しているふたり。本田透への強い興味を示す男子生徒と、初対面のはずの由希をなぜか知っているような素振りの女性。ふたりはこのあと、透たちのなかに混乱の種を撒くことに……!?

# 繭子先生 MAYUKO TEACHER

透たちのクラスの担任。男口調のサッパリした性格で人気が高い。透たちはまだ知らないが、実は以前、1カ月間だけ紫呉と付き合ったことがあり、彼を「さざ波」と評したのは彼女である。はとりの昔の恋人・佳菜の友人でもある。

# 不良中学生

恐怖の不良軍団を作ることが目標という、ヤンキー3人娘。まずはいきがっているヤツを叩きつぶすべく、その世界では有名な魚谷に狙いを定めた。が、逆に魚谷に諭され、今では彼女のことを「姐さん」と呼ぶほど彼女に心酔している。

# ＊フルバなお話＊

何かと話題の作品内ストーリーを『ぴあ』風に
紹介しちゃうよ！ もしも現実に存在するなら、
あなたはどれを見てみたい？

## ❀花白ノベルズ　作＝きりたにのあ

**夏色の吐息**

**解説**

花白ノベルズで大人気のきりたにのあが、待望の新シリーズ開始！
恋愛の達人・ノッチーが、リリカルに、ノスタルジックに、そしてド
ラマティックに描き出す恋物語。

まだ1巻目なので物語はまだまだ序盤といった感じ。

でも、恋に揺れる少女の繊細な心理描写はさすがノッチー。読んでいても切なくて、
胸がきゅんとなっちゃうよ。加えて、クライマックスでは思いがけないどんでん返しが用
意されていたりして、ドキドキワクワクすること間違いなし。もちろんカッコイイ男の子
も次々登場しちゃうのだ。夏に始まった少女の恋は、季節を巡って、いったい誰の元
へとたどり着くのか。続きがとても楽しみな一作だ。花白ノベルズから好評発売中！？

**check point**

あの紫呉が書いたという、少女向けのライトノベルズ。いったいどんな話なのか非常に
気になるが、残念ながら内容は不明。自信作らしく、湖の別荘にて、はとりに読ませた「紫
呉推薦の本」のなかにもちゃんと入っていた。でも、はとりは「気色悪い」と一刀両断。
とはいえ、内容が面白くないわけではなさそう。花島も黙々と読み続けていたしね。

## ノッチーがえがく、甘くせつないラブストーリー

同居していた透も
知らなかった衝撃
の事実！？ なんと
紫呉は小説家さん
だったのだ！ しかも、
少女小説を書いて
いたなんて……。

# 大ヒットアニメ モゲ太
## 劇場作品も大ヒット!!

**解説** 　小学生から火がつき、今や大人も巻きこんでの空前の大ブームとなったヒーローアニメ『モゲ太』。宇宙規模の壮大な舞台設定を背景に、ひたすら家庭内のストレスを主人公にぶつけてくる大人げない敵。そのアンバランスさがたまらないという人も多いのでは？　けれど、何と言っても作品の最大の魅力は異種生命体・モゲ太の可愛らしさ。ところが、公開中の劇場版では、なんとモゲ太が悪の生命体に乗っ取られてしまうのだ。モゲ太を元に戻そうとする主人公アリーの必死の叫びは届くのか!?　TV、劇場作品ともに絶賛公開中、かも。

### check point
　『フルバ』のあちこちに登場する作品内ストーリー。内容からすると、小学生男児がメインターゲットのアニメだと思われる。しかし、透と楽羅がダブルデートで観る映画に選ぶぐらいだから、一般的な人気も高いようだ。燈路もなんだかんだと言いつつ、しっかりチェックしてる様子。

**モゲ太危うし！
真の帝王の
足の裏に…!?**

# 『笑える話全集』
## 世界で一番バカな旅人

**解説** 　『笑える話全集』の中に入っている一編だ。
　ストーリーは単純。ある旅人が、人や魔物にだまされて次々と洋服や身体の一部を取られ、とうとう最後には頭だけになってしまうというもの。けれど、この旅人、最後までだまされたことに気付かない。頭だけになって目玉まで取られて、偽の贈り物(なんとバーカと書かれた紙!)をもらっても、「初めての贈り物だ。嬉しい、ありがとう」と涙を流して感謝までする。あなたはこの話をどう読むだろうか……？

### check point
　紅葉のクラスメイトが買ってきた本のなかの一編として、紅葉の口からあらすじが語られる。その内容に、クラスのみんなは笑っていたというが、紅葉の感想は「ああ、なんて愛しいんだろう……」。苦労とか損とかを考えず、誰かのために尽くした旅人は誰かを思い出させる。由希と夾はどんな感想を持ったのだろうか。

**あなたは笑いますか？
それとも…**

# ＊フルバな言葉＊ あ〜き

**【あーやのお茶】**
綾女が入れたお茶を飲めるのは、はとり以外ではふたりしかいないらしい。

**【赤点】**
もれなく追試及び補習がついてくるもの。はなちゃんは全教科赤点。1回くらい落ち込んだほうがいいかも。だが、わざとやっているという噂もある。

**【あやめ】**
綾女が経営している手芸店。オーダーメイドで主に男性向けにメイド服、ナース服、スチュワーデス服、ウェディングドレスなども作っている。店のキャッチコピーは、信用第一、ハート大事に。とてつもなく怪しい。

**【アリタミス ドンパニーナ タイオス】**
通称アリー。『モゲ太』の登場人物の少年。一応、ヒーロー役らしい。

**【色ガキ】**
もみっちのこと？

**【隠蔽】**
草摩一族の秘密を知った者の記憶を消すこと。慊人が命じ、はとりが行う。

**【インラン】**
夾のこと？　それともももみっちの……？

**【インラン】**

**【岡目八目】**
意味＝おかめには八つ目がある（by透）。もちろん、本当は違います。

**【おじや】**
風邪で寝込んだ透に、夾が作ってあげた。夾は意外に料理上手で、オニギリも上手にむすべる。

**【お茶の間ほのぼの系コミカル学園ラヴラヴちょっと不思議付き物語】**
『フルバ』のこと。『花とゆめ』編集部によると、だいたいホントらしい。そうだったのか……。

**【男のロマン】**
メイド服やウェイトレス、スッチーに秘書、セーラー服、さらにはネコ耳、ウサ耳、などに夢をはせること。もちろん、女性のお風呂を覗きたいと渇望するのもロマンのひとつ。（一般的には犯罪になるので、やめたほうがよい）

**【オニギリ】**
子どものころ、いじめられていた透が、フルーツバスケットをする際に言い渡された食べ物の名前。もちろん、オニギリが呼ばれることはなかった。

**【オニギリ亭】**
文化祭で1−Dが出展した模擬店。由希提案のハズレ付きオニギリが好評！ハズレ付きオニギリとは、3個買ってくれた人にオマケを1個進呈するがそれにハズレが混ざっているというもの。

**【学園防衛隊】**
生徒会のこと。なんだかなー……。

**【かしわもち】**
今日子さんの好きだった食べ物。命日に、お祖父さんがお墓に供えてくれた。

**【カッコウの雛現象】**
バレンタイン前日、由希の下駄箱の中で起こっていた現象。彼の下駄箱の中にチョコレートを置こうとした女の子は、自らのチョコを目立たせるために先客のチョコをゴミ箱に捨てていっ

**【カッコウの雛現象】**

たのだ。そして、最後の1個のチョコを奪ったのは、はなちゃんだった。

**【カニ】**
たらふくもらった綾女が、弟にも食させてやらねばと紫呉宅に持参したもの。「こんな弟思いの兄は世界でも3人といないねっ。無論ナンバーワンはこのボクさっ」とは綾女の弁。

**【花粉症】**
うおちゃんの持病。若気の至りでいろんな薬を飲みすぎたため、鼻炎薬が効かないらしい。ちなみに、マスクをしたまま、バドミントンをするとたいへんツライ。

**【環七の赤い蝶】**
本田今日子現役時代のあだ名。

**【カンパニール】**
綾女によると「来たれ神威の海、放たれよ尊崇」という意味らしい。カンドラサまのお告げがあったとき、カシパルウさまが寝所にて発した言葉。
→ルルバラさま参照

**【気管支炎】**
由希の持病。幼いころは度々発作があったが、最近は比較的収まっている。

**【ギョーザ定食】**
綾女が透におごったお昼御飯。

# Fruits Punch
## フルーツ・パンチ

● フルバなベストシーン
十二支＋1のフルバ占い
●

お母さんから十二支のお話を聞いた透は　思わず泣いてしまいます

「かわいそう…　猫さんはかわいそう…っ
私　決めました　いぬさんをやめて　猫さんになる…!!」
あの言葉は本当に本気だったのです
本当に涙が出てきたのです
遠いお山で神さまと十二匹の動物たちが
楽しく宴会をしてるとき
猫さんは開くはずのない明日の宴会を夢見ながら
寝たのかなって思うたび…

透は深く傷ついた猫さんの心を　癒せるのでしょうか…？

# フルバなベストシーン

『フルーツバスケット』には欠かせない、あーんなシーンや、
こーんなシーンをぎっしり収録！ ギュッと絞った
濃縮『フルバ』ワールドをお楽しみください！

**SELECT1**
## コミカル
っていうか、
ボケとツッコミ

これって
ビールのCM…？？

許される事なのでしょうか……

あのさ透君温泉なんだからパリ行こうとか言ってるんじゃないんだからさ

温泉など…。そのような高価な地へ私がお母さんを遣しおいて……。

いや だから
ただの温泉
なんですけれど…

おいおい…温泉如きでそんな気分になるなよ…

お姫様にでもなれたような気分です…

トールお姫さまーっ

おらっ

はぁっ

はずし
ました!!

みりゃ
わかる。

おい 姫
起きろっ

なんか風強くなってんし…
カゼひいちゃうぞっ

…なんでこんなトコで寝てんだこいつ……

あははは

は！

は！

すか

縁側は
気持ちよいの
です〜

ガキの
寝かただ…っ

温泉って言えば、浴衣に卓球だよねー。それにしても、この大空振りはいったい……？これには、いつも冷静な由希くんも笑いをこらえきれず。

天然ボケ
2連発!

虎に変身した杞紗を見て、透くん大ボケのひと言。「噛まれると痛いよ」って、言ってる端から噛まれてるし……。

パニック

パニック

パニック!!

本田さんの
お母さんって…
何者?

母の教えをしっかり守る、よい子の透くん。でも、さすがの今日子さんも血判状はやってないと思うよ、たぶん。

思わずうおちゃんもひいた、ノート南京玉すだれ事件。この強烈な出会いがきっかけで、ふたりに熱い友情が芽生えた……のかな?

うおちゃんと
透 友情の
芽生え…!?

**ジェイソン襲来!!『フルバ』一気にホラー物に!?**

熊のジェイソン登場で、静かな山荘が恐怖に包まれる！あまりの恐ろしさに透くんは崖から転落し、夾くんと由希くんは動物に変身！！果たして彼らの運命は──!?……ところで、ジェイソンって熊だったっけ？

**怒りゲージMAX!!**

バレンタインのチョコ代にバイト料をつぎ込んでしまい、修学旅行積立金の支払いが滞ってしまった透くん。それを知った夾くんはリミットブレイク寸前！

**大人になった紅葉くん「いい…♥」**

**女装由希くん「すごくいい…♥」**

**楽羅 襲来!!**

扉を閉めた程度で逃げ切れるわけないのに……。夾くんも学習しないよね。

フルーツ・パンチ

紫呉と綾女　禁断の愛！？

こう見えても　生徒会長です

誰がこんな人を生徒会長に選んでしまったのか…。実務をこなしていたのは、はとりだったという噂も……。（←たぶん、本当のコト）

ウェディングドレス姿も麗しい…？

綾女暴走中

「兄さんの店に行ってみたいな」由希のこのひと言に、綾女大暴走！ うれしいのは分かるけれど、少し落ち着こうよ、綾女さん。

紫呉は別荘に逃亡中！

SELECT 2
# バトル
## 格闘 口ゲンカ 夫婦ゲンカ!?

### 寝起きのイッパツ!

イヤミ鼠なん
そうだよ つまりいつもは手加減してるって事なんだよ
ダダダダダ
無神経で冷血で 人が努力してる上を軽々と飛んでくような

寝起きの由希くんは強い! 寝惚けてるけれど、強い!!というか、寝惚けてるほうが強い。つまり、普段は手加減しているってことだね。

### マラソン対決!

勝つ!!

俺は由希に勝つ!!
うるさい…
どぴゅん
言っとくが手だきゃ抜くなよ!!
だからうるさいって…
ズル勝ちしたって嬉しかねぇぞ!!

マラソン大会は、いつの間にか夾VS由希の個人戦に……。ズル勝ちって言うけれど、由希くん、今日は風邪気味で元々体調が悪いんですけれど……。

### ト○と○ェリー!

殺す!!
本当に聞き飽きたよ そのセリフ…
チョコマカすんじゃねぇ!!
正々堂々かかってこい!! 卑怯だぞ!!
今日こそ必ず貴様の息の根を止めたらあ!!
今の体格からしてはおまえの方が卑怯だ

### 俺はもうがならない…?

…まあ せいぜい頑張ったら?
バ
カ
ネ
コ。
コンの女男ぉ!!!
てつめぇは ムカつく!! やっぱ ムカつく!!
てめぇだきゃあ 墓入るまで 嫌って嫌って
ダメじゃん 全然
夾く…

この数分前に、俺はもうがならないって決意したはずなんですが……。まあ、誰にでも無理なことってのはあるし、ね。

### 夾「おまえに勝つことは俺の信念だ!」由「もう聞き飽きたよ」

おまえに勝つことは俺の信念だ!!
目標だ!!
それに振りまわされる俺は迷惑だ 災難だ
てつめぇのその人を見下した態度がムカつくんだ!!
おまえのその短絡的思考がムカつくんだ。
そうやっていつまでもスカした顔してられっと思うなよ…
いつかその口から「ごめんなさい」と言わせてや……
ゴメンナサイ。

夾×由希×ニラ

凶器攻撃! 口中いっぱいに広がるニラの匂いの前に、夾くんKO寸前。もう、これはいっそ吐いてしまうしかないでしょう。

危険過ぎる遊技

激春の罠に引っかかり、アスファルトの道路に激突! 額を強打!「俺だって死ぬ時ァ死ぬんだよ!!」まったくだ

これも猫憑きの性…?

ブラック光臨!
死ぬのは
どっちだ!?

そこまでするか!

澱春
ブラック変身中

発作を起こした由希くんを運ぶため、すすんで変身。このあと、透くんは家まで、澱春牛の首を抱っこし続けるハメに……。

大人なムードの
変身風景
タツノオトシゴだけどね

楽羅
無防備過ぎ!

配達し忘れた新聞を届けに来た勤労少年。彼はこのあと、由希の濃厚な色仕掛け攻撃にノックアウトされる。羨ましい…じゃなくて、気の毒に…。

一応
バツなんですよ
これでも

スキヤキは
違うって

# 十二支+1のフルバ占い

プラスONE

干支占いでもウラ干支占いでもない、十二支に猫年を加えたフルバ占いです！
あなたがどの『フルバ』キャラタイプなのかが分かっちゃいます。

## STEP1　チャート占い

囲み内の質問に答えながら、該当する行き先番号に進んでください。たどり着いたグループによって、次に読むページが違ってくるので、間違えないように気を付けてね。

**START!**

**1** あなたはどっちの言葉が好き？
○誠実→2へ　●自由→6へ

**2** 初対面の人とでもすぐにうちとけて話が出来る
○どんどん！誰とでも話せるよ！→3へ
●どちらかというと苦手→7へ

**6** 心配なことがあって眠れない日がたまにある
○ある→7へ　●ない→11へ

**7** あなたの好きな色は？
○白・オレンジ・黄→3へ
●青・ピンク→8へ
○黒・赤・茶色→12へ
●紫・緑→17へ

**8** 第一印象がコワイまたは　無愛想だと言われたことがある
○ある→13へ　●ない→9へ

**11** かわいい女の子には絶対メイド服だ──!!!
○もちろんだとも！→16へ
●どうかなぁ…？→12へ

**12** スポーツするなら？
○バレーやバスケットなどの団体スポーツ→8へ
●陸上やスイミングなどの個人スポーツ→13へ
○スカイダイビングやモトクロスなどのちょっぴりキケンもの→17へ

**13** ボランティアをしたことがあるまたは　してみたいと思う
○ある または思う →9へ
●ない→14へ

**16** 『ありとキリギリス』のお話　あなたはどちらの生き方に共感する？
○あり→12へ
●キリギリス→17へ

### 3
『世界で一番バカな旅人』の話を聞いてあなたはどう思った？
- ○旅人はいとおしい→4へ
- ●村人はヒドイ→8へ

### 4
人に何かを頼まれたら気が進まないことでも断れない
- ○はい→5へ
- ●断る！→9へ

### 5
好きな相手（恋人／友だち両方）にはストレートに感情をぶつけるほう？
- ○はい→グループ♥へ
- ●いいえ→10へ

### 9
人から自分がどう見られているのか とても気になる
- ○はい→5へ
- ●そうでもない→10へ

### 10
電車ではお年寄りに席をゆずる？
- ○もちろんゆずる！→グループ♥へ
- ●ゆずりたいけれど 何だか恥ずかしくて…→グループ◆へ
- ●ゆずらなーい→15へ

### 14
友だちとの待ち合わせで相手が30分も遅れることに あなたなら？
- ○待つ→10へ
- ●待たない→15へ

### 15
他人は他人 自分は自分と思っているところがある
- ○はい→グループ♠へ
- ●いいえ→グループ◆へ

### 17
グループ行動は平気？ 苦手？
- ○わりと平気→8へ
- ●ちょっと苦手→13へ
- ○苦手じゃないけれど 気付くと浮いてる→18へ

### 18
人から変わっていると言われたことがある 実はそれがちょっぴりうれしかったりする
- ○ある→グループ♣へ
- ●ない→14へ

♥ グループ

◆ グループ

♠ グループ

♣ グループ

## STEP 2 ▶ YES・NO チェック占い

チャート占いで出た結果をもとに、各グループのYES・NO占いをしてね。（各12問×3＝計36問）。一番YESが多かったパターンが、あなたのフルバ干支だよ！（YESの項目が同数だった場合は両方の解説を、すべて3個以下だった場合は71ページを見てね）

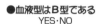

●血液型はＢ型である
YES・NO

●友だちや家族にプレゼントをするのが好き！
YES・NO

●外国の恵まれない人のことを聞いて泣いたことがある
YES・NO

●ご飯より、お菓子のほうが好き YES・NO

●文化祭や修学旅行などのイベントが大好き！ YES・NO

●楽しいと調子に乗りすぎて、はしゃぎ過ぎてしまうことがある
YES・NO

●悩みごとは人には相談せず、自分で解決しようとする YES・NO

●人は本来、善意の生き物だと思う YES・NO

●人をビックリさせるのが好き！ YES・NO

●クラスの中では人気者だ YES・NO

●思ったことはストレートに口に出すほうだ
YES・NO

●明るい色や派手な洋服が好き
YES・NO

パターン
1へ

パターン
2へ

♥グループ

●血液型はＢ型である
YES・NO

●けっこう涙もろいほうだ YES・NO

●好きなグッズはとことんコレクションする
YES・NO

●これからは女の子でも強くなくちゃ、と思う
YES・NO

●好きな格闘技がある YES・NO

●好きな人のことは何でも知りたいと思う YES・NO

●どうしてもかなえたい夢がある YES・NO

●歩くスピードは早いほうだ YES・NO

●おとなしい人は、守ってあげなきゃと思う
YES・NO

●小さな子と遊ぶのが好きだ YES・NO

●怒ったときは、手が出るほうだ
YES・NO

●みんなで食事をするときは、
世話役になってしまう
YES・NO

●血液型はＡＢ型である
YES・NO

●クラスの中では、比較的
物静かなほうである YES・NO

●地震や火事や雷などに、慌てふためくことは
ない YES・NO

●背は高いほうだ YES・NO

●方向音痴である YES・NO

●人に何か親切にしてもらったときは、
必ず「ありがとう」と言える YES・NO

●世間話をするのが苦手 YES・NO

●嫌なことがあっても、じっと我慢する YES・NO

●隠れて他人の悪口や陰口を言う人は許せない
YES・NO

●授業中はボーッとしていることが多い
YES・NO

●小さなことは気にしない主義だ
YES・NO

●ご飯を食べるスピードは
遅いほうだ
YES・NO

パターン
3へ

●血液型はＡ型
である　YES・NO

●クラス委員などを任されたこと
がある　YES・NO

●誰とでも公平に付き合えるが、実は人付き
合いが苦手　YES・NO

●自分のまかされた仕事は完璧にこなすべきである
YES・NO

●植物を育てるのが好き、また、味覚狩りなども好きだ
YES・NO

●ストレスからお腹を壊すことがよくある　YES・NO

●小さい頃から、しっかりした子だと言われてきた
YES・NO

●夏休みの計画はきちんと立て、実行できる　YES・NO

●人前ではしゃぎ過ぎるのは、みっともない
YES・NO

●ダイエットに失敗する人は意志が弱いと思う　YES・NO

●几帳面に見えるが、実は整理整頓が苦手
YES・NO

●成績は常に上位をキープしている
YES・NO

●血液型はＢ型
である　YES・NO

●いつも人の顔色をうかがって
いるような気がする　YES・NO

●人前に出るとものすごくあがってしまう
YES・NO

●礼儀作法やマナーは大切だと思う　YES・NO

●人に迷惑をかけることは、もっともいけないこと
だと思う　YES・NO

●人の考えを深読みしすぎて、失敗することがある
YES・NO

●社会ルールは常に守るべきだ　YES・NO

●社会的信用を得るために、身だしなみは大切だと思う
YES・NO

●肌荒れすることが多い　YES・NO

●何か突発的なことが起こると、パニックに陥りやすい
YES・NO

●ひとつの失敗をいつまでも引きずるほうで
ある　YES・NO

●人生はつらく苦しいものだと思う
YES・NO

### ◆グループ

パターン
4へ

パターン
5へ

●血液型はＡ型である
YES・NO

●同姓と接するのが苦手　YES・NO

●人前で発言したり、朗読するのが苦手　YES・NO

●将来の夢は専業主婦　YES・NO

●気の強い性格の友だちがいる　YES・NO

●つらいことからは逃げ出してしまうほうだ　YES・NO

●風邪を引きやすい　YES・NO

●もさもさした食べ物は苦手　YES・NO

●部屋はいつもきれいに片づいている　YES・NO

●悩みごとがあると、ひとりでふさぎ込んでしまう　YES・NO

●本番に弱く、あがり症だ　YES・NO

●好きなことをコツコツ続けるタイプだ　YES・NO

パターン
6へ

※占いのやり方：①STEP1＝チャート式占い　②STEP2＝YES・NO占い。STEP1でたどり着いたグループの質問に全部答える
③STEP2で一番該当する項目が多かったパターンに進む　④STEP3＝パターン番号から自分のフルパ干支を探し出す

●血液型はO型である
YES・NO

●勝負事は燃える！ YES・NO

●嫌いな食べ物は意地でも食べない YES・NO

●好きなこと以外はやりたくないし、やる必要が
ないと思う YES・NO

●他人には自分の弱味を見せたくない YES・NO

●すぐにムキになってしまう YES・NO

●自分の意見をはっきりと主張できる YES・NO

●気は短いほうだ YES・NO

●体を動かすのが好き YES・NO

●雨の日は体がだるい YES・NO

●礼儀は必ず守る YES・NO

●人に親切だとか、優しい人だとか
言われたくない
YES・NO

パターン
7へ

●血液型はO型である
YES・NO

●好きな子は独り占めしたい YES・NO

●議論が得意 YES・NO

●人の親切なんて、たいてい偽善だと思う
YES・NO

●礼儀や校則は、人の見ていないところでは無意味だ
と思う YES・NO

●遅刻をしたときは、まず言い訳をする YES・NO

●ムキになっている人をみると、バカじゃないの、と思う
YES・NO

●人の間違いや、本の誤植が気になる YES・NO

●感動する映画を見ても、素直にそう言えない
YES・NO

●肩こりがヒドイ YES・NO

●世の中、キレイごとだけじゃ渡れない
YES・NO

●何かに失敗すると、急にすべて
に自信が持てなくなる
YES・NO

パターン
8へ

♠グループ

●血液型はA型である
YES・NO

●どんなに努力しても、手に入らないものは
あると思う YES・NO

●トラブルには巻き込まれたくない YES・NO

●外で遊ぶより、ひとりで読書やゲームをしたい YES・NO

●物事をすぐ諦めるほうだ YES・NO

●グループの中では、いつも一歩引いて状況を見ているほうだ
YES・NO

●新しいことにチャレンジするのは苦手 YES・NO

●数学などの答えがはっきり出る教科が好き YES・NO

●プライドは高いほうだと思う YES・NO

●他人のことには、あまり興味がない YES・NO

●モノトーンの服やシンプルな服が好き YES・NO

●たまにジョークを言うが、不発に
終わることが多い
YES・NO

パターン
9へ

## ♣グループ

●血液型はＡＢ型である
YES・NO

●世の中なんて、なるようにしかならないと思う YES・NO

●朝早く起きるのが苦手 YES・NO

●一度しかない人生だから、楽しく生きたい
YES・NO

●イタズラを仕掛けるのが好き YES・NO

●人に、何を考えてるのかよく分からないと言われたことがある YES・NO

●明日出来ることは明日しようと思う YES・NO

●人間関係で波風を立てたくない YES・NO

●グループ作業のときは、人に任せる YES・NO

●自分の好きなことなら、いつまでも飽きずに続けられる YES・NO

●物事には形から入るほうだ YES・NO

●一番大切なものは、自分の時間だ
YES・NO

### パターン10へ

●血液型はＡＢ型である
YES・NO

●人より目立つことが好き YES・NO

●おしゃべりのときは、自分がしゃべっていることが多い YES・NO

●コスプレに興味がある YES・NO

●美術や作文、音楽が得意だ YES・NO

●カラオケに行くと、ものすごく燃える YES・NO

●将来は有名になりたい YES・NO

●どうしても頭の上がらない人がいる YES・NO

●平凡な人生なんて、無意味だ YES・NO

●自分なりの美意識を持っている YES・NO

●ブランドものの服より、自分の個性を際立たせる服が好き YES・NO

●教師なんて、所詮凡人だ
YES・NO

### パターン11へ

### すべてのグループで該当項目が3つ以下だった人は、ココを読んでね!

どれもしっくり来なかった、そんな人は、まだ登場していない未知の干支──酉年・午年の可能性があります。このふたつの干支の詳細を今述べることは、残念ながら出来ません。今回は、あなたの彼やお友だちの干支を調べてみたりして、楽しんでください!

# 透のタイプ別

あなたは何年タイプ?

**♥ グループ**
- パターン1→卯年
- パターン2→亥年
- パターン3→丑年

**◆ グループ**
- パターン4→子年
- パターン5→申年
- パターン6→寅年

**♠ グループ**
- パターン7→猫年
- パターン8→未年
- パターン9→辰年

**♣ グループ**
- パターン10→戌年
- パターン11→巳年

## 子年（ねずみ）　由希

生真面目な完璧主義者。でも、本当はコンプレックスが強くて、自分に自信が持てないところも。

【解説】
あなたは、理想のご自分になれるように、いつも努力されているガンバリ屋さんです。お願いしたことは全部きちんとこなされますし、とっても生真面目さんなので、クラスのリーダー役などを任せられることも多いのではありませんか? でも、実はガンバリ過ぎて、ちょっぴり無理をしちゃっているかもなのです。時々、肩の力を抜いてみるのもいいですよ!

【恋愛タイプ】
あなたは恋愛に対しても、とっても真剣な方です。お相手のことを一途に思い続けて、彼にふさわしい素敵な女性になるために努力し続けます。でも、あんまり思い詰めるのはよくないですよ。お相手の方も息苦しくなっちゃうかもです。ほどほどにするとよいですよ!

## 丑年（うし）　澄春

普段はおっとり、ゆっくり。人の痛みに敏感で、他人の哀しみを自分のものとして感じられる。

【解説】
無口な方ですので、周囲の人は、なんだか頼りがいがなさそう、と思っているかもしれないです。ですが、本当はあなたは責任感の強い方なのです。それに、とってもお優しいので、傷付いた人を放ってはおけません。でも、普段、感情を抑えているせいか、何か引き金があると爆発してしまうかもです。毎日、少しずつストレスを発散するとよいですよ!

【恋愛タイプ】
包容力のあるあなたは、恋人のちょっとしたワガママなら笑って許せる方です。でも、あなたがあまりにも何でも受け入れるため、彼はあなたが冷めているのではと疑ったり、物足りなく感じてしまうかもしれないのです。たまにはワガママを言ってみるのもいいですよ。

# 解説＆アドバイス

ご自分が何年タイプさんなのか、お分かりになられましたか？　解説は、僭越ながら、私、本田透が伝えさせていただきます！

## 寅(とら)年 （杞紗）

細やかな気遣いと優しい心配りができる、おしとやかな女性。
でも、自己主張の弱さが裏目に出ることも。

### 【解説】

真面目で優しくておとなしい、日本女性の鏡なのです。人をぐいぐい引っ張っていくことは苦手なのですが、細やかなところにも気を配れる繊細な方なのです。そんなあなたの弱点は、ご自分を守ってくださる方やお仲間がいないと不安になってしまうことです。あなたは、おひとりでも行動できる素敵な魅力や勇気をいっぱい持っています。fightなのです！

### 【恋愛タイプ】

あなたは恋人に対しても、守ってもらいたいな、と思っています。もちろん、彼もあなたのそういうところが「かわいい！」と思っています。でも、あなたは時々、彼の誠実さを疑ったりはしていませんか？不安になったら、思いきって確かめてみるのも手ですよ！

## 辰(たつ)年 （はとり）

クールでドライ。どんな局面でも傍観者で有り続けようとする人。
重要な決断からは逃れようとするところも。

### 【解説】

あなたは、人からさめた人だと見られているかもです。さらに、普段から冷静沈着な態度を取られるので、賢くて謙虚な人だな、と思われているところもあります。無口な点は丑年タイプさんと似ていらっしゃるのですが、辰年タイプの方は傍観者タイプさんなのです。また、辰年さんは、ご自分で物事を決定するのが苦手な方が多いようです。

### 【恋愛タイプ】

辰年さんは、あまり他人を寄せ付けない雰囲気を持っていらっしゃるために、恋人は出来にくいかもなのです。ですが、大丈夫です。あなたはひとりの方を思い続ける一途さを持っていらっしゃるので、一度恋人同士になれれば長続きする恋になる可能性が高いのです。

## 卯(うさぎ)年 （紅葉）

友だちや家族を喜ばせるのが大好き！　クラスの人気者だけれど、たまに元気が空回りすることも。

### 【解説】

みなさんが楽しければ、自分も楽しい。あなたはそんな奉仕型の方なのです。お友だちやご家族を喜ばせるだけではなく、みなさんの痛みや苦しみも分かろうと心を砕かれます。ところが、ご自分の苦しみを相談することは苦手なのです。ときには、誰かのことだけではなくて、ご自分のことも振り返ってみてくださいね。

### 【恋愛タイプ】

もともと尽くすタイプの方なので、お相手が恋人なら尚更です。プレゼントや楽しいイベントなどをどんどん用意して、一緒に楽しもうと計画されます。でもその前に、はい、深呼吸！　ひょっとしたら、お相手はもっとゆったりとした恋を望んでいるかもしれませんよ。

## 巳(へび)年 （綾女）

人とは違った感性を持っている人。クリエイティブな才能を持っている反面、他人には理解されにくいかも。

### 【解説】

あなたは、ちょっと人とは違う感性をお持ちの方です。その才能が認められれば天才ですが、分からない人にとっては、ただの変人に見えてしまうかもなのです。どちらにしても、あなたの個性は素晴らしいのです。ときには、ほかの方の評価が気になって、落ち込んでしまうこともあると思います。ですが、そんなこともきっとムダではないはずですよ。

### 【恋愛タイプ】

あなたは人の好き嫌いが激しい方なのでは？　なかでも特に、ご自分のお好きな相手には、愛情の集中砲火だと思います。なのに、急にお相手の愛情を疑って不安になったりすることもあったりして……。そんなときは、お相手の気持になって考えてみるとよいですよ。

# 透のタイプ別 解説&

## 未年 <ruby>（ひつじ）</ruby> （燈路）

素直に自分を表現するのが苦手。
いつもちょっとひねくれた態度を
取ってしまうけれど、それは優しさの裏返し！

### 【解説】

あなたは少し大人びたお子さんだったのかもなのです。今でも、ご自分なりの正義感をお持ちで、世の中をちょっとだけ斜めから見ていたりはされませんか？ 周囲の方からも、文句が多い人、と誤解されがちなのですが、それはあなたがご自分にも他人にも大変厳しい方だからなのです。でも、ときには大らかな気持ちで許すこともいいですよ。

### 【恋愛タイプ】

あなたは、大切な人を大事にしたいと心の底から思っていらっしゃいます。でも、彼には自分が付いていないとダメだ、と思ってしまうこともあるようなのです。ついつい彼にお説教をしちゃったりして……。ときには、彼の弱いところも受け入れてあげましょうね。

## 戌年 <ruby>（いぬ）</ruby> （紫呉）

いつもなんとなく好位置を
キープ。いい加減なようでいて、
得意分野では意外な才能を発揮するタイプ。

### 【解説】

毎日が楽しければそれでいいかなー、と思っていらっしゃる方です。お好きな言葉は「適当」ではありませんか？ ピンチにならないと動かない方なので、まわりの人の信頼度はちょっと低めかもなのです。でも、お好きなことをコツコツと進めることは、お得意ではありませんか？ 時間をたっぷりかけるとスゴイ成果を残せるかもしれませんね。

### 【恋愛タイプ】

戌年タイプさんは、恋愛も積極的に動こうとは思わない方です。お付き合いをスタートしても、彼の求めていることが分からなくって、もめてしまうかもなのです。でも、お相手が積極的タイプさんなら、いつまでも熱々ムードでいられるようですよ！

## 申年 <ruby>（さる）</ruby> （利津）

行儀がよくて、しっとりとした
魅力を持つ人。繊細な心を持って
いるため、傷つきやすすぎるところも。

### 【解説】

とっても引っ込み思案で、ご自分に自信が持てないでいるあなた。ちょっとした人の言葉にも深く深く傷付いて、悩んでしまうのはコンプレックスのせいでしょうか？ そんな申年タイプさんは、何かひとつ、得意なことに没頭してみるといいですよ。苦手なことを克服するよりずっとラクで、しかも効果バツグンなのかもです！

### 【恋愛タイプ】

ご自分からお相手にアタックするのは苦手な申年タイプさんは、お相手があなたの気持ちに気付いてくれるのをじっと待っている、いじらしい恋をされるでしょう。でも、ときには積極的にアピールするといいかもなのです。うまくいくかもしれませんし、ね。

## 亥年 <ruby>（いのしし）</ruby> （楽羅）

まさに猪突猛進！ いつも
エネルギッシュに活動している。
さらに、他人への思いやりも人一倍！

### 【解説】

信念や目標に向かって、一直線に進んでいく方です。ご自分が何を求めていらっしゃるのか、将来の夢は何なのか、ということも自覚していらっしゃいます。あなたはバイタリティとやる気がいっぱいの方なので、きっと夢を次々に実現されていかれます。また、ほかの方への思いやりも深い方なので、ボランティア活動にも向いているかもです。

### 【恋愛タイプ】

パワフルな亥年タイプさんは、恋人にもその勢いのまんまでぶつかっていかれます。その結果、お相手がちょっと引いてしまうかも。ちょっぴりセーブするといいですよ。ただし、お相手が戌年タイプさんの場合は、ドカンっとぶつかってみるとうまくいくかもです。

# アドバイス

## 猫年（ねこ）〈夾〉

**好きなことには没頭する
けれど、嫌なことは断固拒否！
感情の起伏が激しく、ちょっびり単純。**

【解説】
猫年タイプさんは、とっても負けず嫌いで、熱中したことはトコトン極めるタイプの方です。感情の起伏が激しい方なのですが、それを引きずったりせず、行動に裏表もないので、お友だちもいっぱいできるはずです。でも、思ったことをストレートに口にされるため、おとなしい方には怖がられてしまうかもです。仲良くしてあげてくださいね。

【恋愛タイプ】
パワー全開！　のあなたは、実は恋には鈍感な方なのです！　周りの方の「好きっ！」っていう気持ちに気付かないだけでなく、ご自身のお気持ちにすら気付かないことがあるなのです。素敵な出会いを見逃さないように、気を付けてくださいね！

## 花ちゃんが選ぶ 相性バッチリ Best 3

### 1位 巳年〈綾女〉× 辰年〈はとり〉
自分勝手に振る舞っているくせに、実は人の心が気になる。そんな巳年タイプは、口数は少ないけれど、的を射た言葉をかけてくれる辰年タイプに惹かれるわ……。対して、辰年タイプも、自分にないものを持っている巳年に憧れ気味よ……。自分にないものを相手が持っている場合、ふたりは惹かれあうことが多いものよ。これを補完性の原理、と呼ぶのよ。覚えておくといいわ。

### 2位 子年〈由希〉× 卯年〈紅葉〉
子年タイプは、いつも疲れているわ……。完璧主義って、そういうものよ。それを卯年タイプが癒してあげるの。なかなかいい関係よ……。もっとも、卯年タイプは、たいていのタイプの人と上手に付き合えるのだけれど、ね……。

### 3位 戌年〈紫呉〉× 亥年〈楽羅〉
戌年タイプは、なかなか自主的には動かないわ……。めんどくさがりなのね。そこを亥年タイプがぶっちぎる……。亥年タイプにずるずる引きずられながら、戌年タイプは進んでいくのよ……。とりあえず、やり過ぎには注意することね。私からはそれだけよ。

## 花ちゃんが選ぶ 相性最悪 Worst 3

### 1位 子年〈由希〉× 巳年〈綾女〉

生真面目な子年タイプは、唯我独尊自己中心的な巳年タイプを理解できないわ。当然ね……。子年タイプは、保守的な考え方の持ち主なのよ。頑な、てことね……。自分の理解不能なものはイヤなのよ。分からないではないわ……。でも、巳年タイプは、そんな子年のことを結構気に入ってるみたい。迷惑な話よね……。

### 2位 猫年〈夾〉× 寅年〈杞紗〉

猫年タイプは、何事にも白黒をつけたがるほう……。一方、寅年タイプは引っ込み思案。猫年の攻撃性は、寅年を萎縮させるわ……。イライラする猫年、ビクビクする寅年。相性最悪って感じね……。でも、猫年タイプは寅年タイプのことを、いじらしいなんて思っているかもしれなくてよ……。

### 3位 猫年〈夾〉× 巳年〈綾女〉

猫年タイプは、現実派よ。想像力が欠如してるとも言えるわ。対して、巳年タイプは、いつも夢見るロマンチスト。猫年は巳年を、胡散臭いと思っているわ……。巳年のほうは、猫年を単純で平凡なバカだと思っているはず……。いつまでたっても、平行線ね。最初から関わらないほうがいいわ……。

※最後に花ちゃんからひと言：フルバ占いなんて、電波に比べたら不正確なものよ……。イヤな結果が出ても、あまり気にしないことね……。

# ＊フルバなゲーム＊

作品に登場するゲームのルールを紹介するよ！　知ってる人も知らなかった人もフルバルールでみんなと楽しく遊んじゃおう。

## 変わりイス取りゲーム
# フルーツ バスケット

### 遊び方

大人数のほうが楽しいゲームです。まず、参加人数より1個少ない数の椅子を用意します。少し間隔をあけて、その椅子を内側に向けて円形に並べます。最後に、何種類かのフルーツの名前を参加者に割り当てます。例えば、9人参加しているならリンゴ役3人、バナナ役3人、メロン役3人といった具合です。最初に鬼に決まった人は円の真ん中に立ち、フルーツの名前をひとつ言います。「リンゴ」と言われたら、リンゴの人が席を移動しなくてはいけません。「フルーツバスケット」と言われたら全員移動です。そのスキに、鬼は空いた椅子に座ってしまいます。そうすると、移動者の中で椅子に座れない人がひとり出ます。その人が次の鬼です。

## check point

透が小さいころの回想シーンに登場するゲーム。当時、いじめられていた透は「オニギリ」なんてフルーツじゃない名前を割り当てられてしまった。絶対呼ばれない名前を、ワクワクしながら待ち続けた幼い透。「勘違いをしていました。オニギリがフルーツバスケットに入れるはずなかったですのに」透のモノローグがせつない。

## check point

紅葉たちの入学式の後、透たち親友3人組に草摩家4人を加えて行った。透と魚谷たちは元々、「今日は学校が早く終わるので久しぶりにみんなで騒ごう！」という約束をしていたのだが、慊人に出会った由希が怯えているのを見て、透が由希も誘ったのだ。そこでなぜバドミントンなのかは謎。ちなみにマスクを付けてやると、苦しいそうだ。

## バトル羽根つき
# バドミントン

### 遊び方

必要なのは全員分のラケットと羽根1個。場所は屋内か、風のない屋外でやるのが望ましいと思います。普通はコートなどに入って1対1、または2対2で試合をするのですが、このバトル羽根つきは違います。全員でひとつずつラケットを持ち、ひとつの羽根をとにかく打つ！　打つ！　打つ！のです。バレーボールの円陣パスを想像すれば間違いないかと思います。ボールを羽根に変え、手にラケットを握っただけです。もちろん下に羽根を落としたらミス。罰ゲームなどをもうけるのも楽しいかもしれません。体力の終わりがゲームの終わり。身体が動く限り打って打って打ちまくりましょう。

## ハマりまくりのカードゲーム
# 大貧民〈大富豪〉

### 遊び方

プレイヤーは円形に座り、カードを配ります。全部配られたら、手持ちのカードを1枚、または複数枚、順番に場に出していきます。ただし、場に出せるのは前に出されたカードよりも強いカードだけ。出せるカードがなかった場合はパスとなります。カードは3が一番弱く、2が最強です。ただし、ジョーカーは2よりも強くなります。プレイヤー全員が出せるカードがなくなったら、そのターンは終わり。一番強いカードを出した人が、新しく場にカードを出す権利を得ます。

一番早くカードのなくなった人が勝ちで『大富豪』、一番遅い人が『大貧民』です。

### check point

高校1年の秋に、透たちの間で大ブームだったトランプゲーム。夾がクラスにとけ込むのにも一役買った。また、魚谷たちが草摩家を初めて訪れた際にも、このゲームで遊んでいる。最初は「負けた人は全員のそうじ当番肩代わり」という特別ルールが追加されていたが、草摩家ではどうだったのだろうか。

### 地方ルール・特殊ルール

大富豪は大貧民を相手に最弱カードと最強カードを2枚ずつ交換できるのですが、場所によっては1枚だったり、好きなカードを選べたりします。

また、ある条件を揃えれば「革命」を起こし、3が最強→2が最弱とカードの強さを逆にすることができます。この条件は「同じ数字を4枚揃えたら」のところが多いようですが、「大富豪が負けたら」という地方もあります。また、革命ルール自体がない場所もあります。

---

## 大人のゲーム
# ポーカー

### 遊び方

ポーカーは5枚のカードのマークと数字を組み合わせて、決められた役を作るゲームです。このゲームには大貧民以上のゲームスタイル、ルールが存在します。ここでは一般的なルールを解説します。

まず親が、カードをプレイヤーに5枚ずつ配ります。残ったカードはストックされます。配られた手札を見て、チップを出す、チップの額をせり上げる、ゲームを降りるなどの行動を宣言していきます。その後、各人が不要な手札を捨て、新しいカードをストックから受け取ります。交換枚数は自由です。勝者は、一番強い役が出来ていた人になります。

このほかにも、最初に2枚だけ配る方法や、手札を7枚ずつ配るスタイルなど、さまざまなルールが存在します。

### check point

花島がクラスメイト何人かと、マラソンをサボって興じていた。しかし、体育の時間だというのに、トランプはいったいどこに隠し持っていたのか……。前の大貧民でもそうだったが、どうやら花島はトランプゲームが得意な様子。このときは、めったに出ないと言われるロイヤルストレートフラッシュ(いちばん強い役)まで出していた。これも電波のおかげか?

※各ゲームには、ここで紹介したルール以外にも、地方ルール・特殊ルール等が存在します。

# ＊フルバな言葉＊ き〜英

『フルバ』世界に登場するいろんな言葉を、フルバ流に解説！
56ページのコーナー（フルバな言葉"あ〜き"編）とあわせて読んでね。

**【キョン吉】**
夾のあだ名。綾女だけが彼をキョン吉と呼ぶ。ちなみに、クラスメイトはキョンキョンと呼んでいるもよう。

**【きりたにのあ】**
通称：ノッチー。紫呉のペンネーム。少女小説を執筆するときに使っている。ちなみに、純文学のほうを発表するときには本名（草摩紫呉）を使用。

**【金八先生】**
めくるめく青春を河原で駆け上がる学園ドラマ。（by綾女）。

**【口笛】**
夜中に口笛を吹くと、ドロボーさんが来てしまうのです。

**【クラゲ】**
紫呉のあだ名。同義語にさざ波というのもある。→さざ波

**【口座】**
由希や夾の口座には、月々、本家からお金が振り込まれる。

**【コタツ】**
鬼をも眠らす効果があるもの。

**【咲と素子の関係】**
偶然同じ高校に通う偶然同じ性別の、赤の他人。（byはなちゃん）さりげなく嫌み。

**【酒】**
「お酒は飲んでも飲まれませんっ」（by紫呉）。「いつも酔っぱらっているようなモンだろ」（by由希）。

**【さざ波】**
紫呉のあだ名。昔、紫呉と1カ月間だけ付き合っていた繭子（繭子先生と同一人物）が命名した。
その意味するところは、寄せては引いていくさざ波は、足下をなでていくのに、触れようとすると遠ざかる。つまり、捕まえることができない存在だということ。だが、はとりと由希に言わせれば、波間にただようクラゲのほうが正しい表現だとか……。

**【ジェイソン】**
新種の外国産の熊のこと。嘘です。
本当は、ホラー映画に登場する熊のこと。と、いうのも嘘です。
正解は『13日の金曜日』というホラー映画に出てくる、殺人鬼の名前です。

**【鹿せんべい】**
紅葉が奈良で透と一緒に食べたいもの。食べたらアカンて。

**【持久走】**
夾言うところの勝負事。

**【シチューの宇宙】**
紅葉の元同級生で、クラス会のときに『笑える話全集』を持ってきた子が、以前読んでいた本。

**【十干十二支】**
発祥地は中国。本来は、十干（甲乙丙丁戊己庚辛壬癸）と組み合わせて、方位や時刻、年月日を表すのに用いられた。そ

**【性格の不一致】**

の後、陰陽五行や相生相剋が取り入れられて、占いにも使われるようになった。

**【自転車】**
潑春の愛車。まぁ、中学3年生には身分相応ということで……。

**【修行】**
滝に打たれたり、熊と決闘したりすること。（ちょっと違うかも）

**【性格の不一致】**
由希と綾女の間柄。ソリが合わない、とも言う。修復するのは……かなり難しい。

**【添い寝】**
綾女と夾は経験済み。

**【操作】**
透が人に同情しやすいことを利用して、言葉巧みに言動を誘導すること。さらに、誘導された透を盾に、由希と夾を操作することも可能。

**【そそっかしい】**
透のこと。部屋の窓を開けっ放しにしてたり、しょっちゅう階段で転んだり、止

**【金八先生】**

まってる壁にぶつかったりするらしい。……大丈夫、透くん?

**【旅】**
楽羅から逃げ出すこと。紫呉が担当をからかう手段としても利用される。

**【ちょっぱや亭】**
宅配弁当屋さん。透が初めて由希らの変身シーンを見て紫呉家が大混乱している最中に、弁当を届けに来た。

**【手ぶら】**
瀲春はなぜか学校へ手ぶらで通っている。勉強してないということ?

**【テント】**
お祖父さんの家の改築期間中、透が住んでいた。お金がなくてセールで買ったせいか、蟻やナメクジが入ってきたり、台風のときには飛ばされかけたりした。

**【電波】**
はなちゃんの特技。彼女はこの力で、由希と夾の中に常人とは違う何かが流れていることを感じている。また、悪意を込めた電波(毒電波)を送ることで、相手の意識を一時的に混乱させることもできる。

電波とは、いわば人間の思念のようなも

**【添い寝】**

の。脳に直接響く言葉のことで、それを俗に電波と呼んでいる。霊感と似ているが、それとはまったく異なる性質のものである。

**【毒電波】**
はなちゃんから毒電波を送られた木之下南は、正体不明の幻聴に悩まされ、1週間寝込んだ。→電波参照。

**【電波】**

**【ニラ】**
夾の嫌いな食べ物。ニラレバもニラ玉も大嫌い。味噌とネギも苦手だけれど、味噌汁はかろうじて平気。

**【ニラ玉】**
杞紗の好きな料理にして、夾の大嫌いな食べ物。

**【猫リュック】**
楽羅愛用のぬいぐるみリュックサック。楽羅の手作りらしい。

**【呪い】**
はなちゃんの弟の恵の特技。名前さえ分かれば、どんな相手でも呪うことができる。また、呪詛返しをさらに返すこともできる。恐るべし!

**【はーさんの注射】**
紫呉が相手のときだけ、打ちそこねる。わざとやっているらしい。

**【墓参り】**
墓の前で弁当を食べ、故人の霊を慰めること。普通は弁当は食べない。

**【初恋の人】**
透が子どものころ、道に迷っていたところを助けてくれた少年。→野球帽

**【発動】**
「よし!!」のときは7秒前に、楽羅の場合は5秒前に予告されるもの。

**【はとりのおじちゃん】**
杞紗が言い放った衝撃の一言。類義語に、紫呉のおじちゃん、綾女のおじちゃんというのもある。

**【バトルオニギリ】**
夾が考えた文化祭での出し物。1対1の1本勝負で、血が噴こうとも腕がもげようとも、にぎり飯をかけて戦う。もちろん、即、却下された。当たり前だ。

**【花島咲の家】**
レトロな洋館でツタがそこら中にはびこってて、なぜかいつも空が曇ってて、庭にはこれまたなぜかお墓があったりして、部屋には謎の魔法陣とか像が転がってるようなところ……ではない。普通の洋風2階建てである。ただし、この家で本名を語るのはやめたほうがよい。

**【花白ノベルズ】**
少女小説シリーズ。きりたにのあが、『夏色の吐息』を発表。

**【ババ抜き】**
はなちゃん、紫呉、夾、そのほか海原高校1年D組有志の皆さんと体育の先生までもが、冬の寒空の中で興じていたもの。ババ抜きの前はポーカーだった。その結果、みんな風邪をひいた。

**【春】**
雪が融けるとなるもの。

**【バレンタイン】**
恋人同士の大切なイベント。だが、夾にとっては1年でもっとも危険な日。

**【ハワイ旅行】**
お正月に、おじいさんと家族が行った。
**【人という文字は支え合いできている】**
「いいセリフだよねっ」（by 綾女）
だからっ!? →金八先生参照
**【秘密基地】**
紫呉の家の裏庭にある家庭菜園。野菜たちの世話をしているのは由希。
**【腐海の森】**
紫呉の家の台所のこと。透が一夜にして更生させた。
**【ブラック春】**
ブチ切れた潑春のこと。たいへんキケン。反対語はホワイト春。
**【ベッド】**
透のベッドは、紫呉が買ってくれたダブルサイズの高級ベッド。あまりに立派なベッドに、「初孫を喜ぶじーさんかよ、あいつは……」と魚谷も呆れ顔。
**【方向音痴】**
潑春の特技。草摩本家から紫呉の家に行くのに、3日間かかったことがある。
**【ポエム】**
痛いもの。身に覚えがある人は、かなり多いはず。
**【ボクとトールのぶらり温泉湯けむり旅情】**

**【由希くん専用コスチューム】**

紅葉がバレンタインのお返し代わりに、ホワイト・デー翌日に誘った温泉旅行のこと。行き先は、草摩家が経営している温泉旅館。
**【ボタン付け】**
由希の苦手なこと。ネクタイ結び、包帯巻きなども苦手。要するに不器用なのだ。そのほかには、夏も苦手。
**【まいぶうむ】**
紫呉家で愛飲している牛乳。モロイ牛乳製造。
**【ミカン頭】**
夾のこと。同義語に猫好きというのも。
**【メイド服】**
紫呉が、バレンタインのお返しに、透に贈ろうとしたもの。いや、贈ったのか……？ もちろん、綾女の店の商品。
**【メショーさん】**
女将さんのこと。女将を音読みすると、メショーさん。
**【免許】**
はとりも綾女も取得。紫呉が持っているかいないかは謎。
**【モゲ太 最後の聖戦】**
海původ高校でも流行っているアニメシリーズの劇場作品。透、由希、夾、楽羅の4人がWデートしたときに鑑賞。
**【野球帽】**
子ども時代の透が迷子になったところを、救ってくれた少年がかぶっていた帽子。彼は別れ際、かぶっていた野球帽を無言で透に渡し、去っていった。
**【由希くん専用コスチューム】**
「プリ・ユキ」3年生メンバーが、文化祭で由希にぜひ着て欲しいと用意した超甘ワンピース。おそらくピンク○ウスのもの。由希はイヤイヤながらも

**【ルルバラ】**
これを着用。文化祭後は、細切れにされて、プリ・ユキメンバーに配られた。
**【よし!!】**
ぐれさんとあーやが愛と友情を確認する儀式。はとりは不参加。
**【寄ってけ】**
透たちが夕飯などの買い出しに利用しているスーパー。
**【理事長像事件】**
綾女が高校生徒会長時代に引き起こした（解決？）らしい事件。詳細は不明。
**【リボンの髪飾り】**
由希がバレンタインのお返しに、透に贈ったプレゼント。透はとても気に入って、たびたび使用している。
**【ルルバラさま】**
綾女が高校時代、先生に対して、自分はなぜ長髪でなければいけないか、という説明をしたときに出てきた人物のひとり。第一国王で、4つの年をまたいだとき、カンドラさまのお告げを受けたという。もちろん、綾女の作り話。
**【レッツ白髪染め】**
繭子先生が、夾のオレンジ頭を染めるために常備している白髪染め。
**【ロマン記念日】**
かわいく着飾った透を見た由希の心に、男のロマンが芽生えた日のこと。
**【リン】**
慊人の八つ当たりを受けて大けがをし、入院した女性。十二支のひとりで、潑春と付き合っていたらしい。
**【5月1日】**
本田今日子の命日。
**【2階の一番右端】**
夾の部屋がある場所。
**【FB】**
高屋奈月先生が望んでいる『フルーツバスケット』の略称。だが、実際には高屋先生自身も『フルバ』と呼んでいるのだった。

# フルーツ・パーラー

キャラクターグッズ

『花とゆめ』表紙

ドラマCD

*Fruits Parlor*

『フルバ』ワールドをもっと深く、
もっと幅広く楽しむための、グッズやCDを集めました。
あなたはいくつ持っている？

## キャラクターグッズ

懸賞への登場率、高し！
それだけ人気連載だってことだよね！

## 全員サービス

5

7

4

2

| 全員サービス | | | |
|---|---|---|---|
| 1999年 | ① | 1号 | '99ドリーム2テレホンカード（～4号） |
| | ② | 8号 | フルーツバスケット うき×うきステーショナリーセット（～10号） |
| | 3 | 18号 | フルーツバスケットスペシャルCDセット |
| 2000年 | ④ | 3号 | ミレニアム★スターズ　テレホンカード（～6号） |
| | ⑤ | 13号 | 2000スペシャルセレクト★タペストリー（～16号） |
| | 6 | 17号 | 花ゆめ2000オフィシャルトレーディングカードセット（一部） |
| 2001年 | ⑦ | 2号 | Welcome2001☆花ゆめオールスターテレホンカード（～5号） |
| | 8 | 9号 | 複製原画セット（～12号） |

※表組みのなかで、②など数字を○で囲んであるグッズは、
　写真を掲載しているグッズです。
※誌名はすべて『花とゆめ』です。

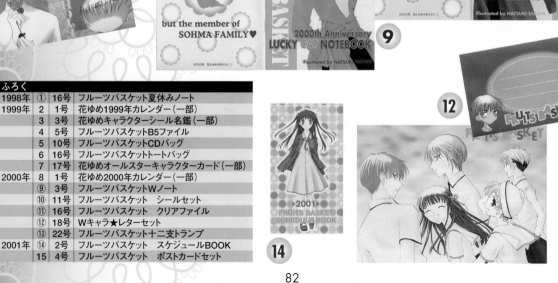

ふろく

# 懸賞

| | | | |
|---|---|---|---|
| 懸賞 | | | |
| 1998年 | 1 | 18号 | 夾&由希★CDキャリングケース |
| | 2 | 19号 | 由希&夾★アロマフォトスタンド |
| | 3 | 20号 | テレホンカード |
| | ④ | 22号 | 透エプロン |
| | ⑤ | 23号 | 透・由希・夾のオリジナルパネル時計 |
| 1999年 | 6 | 1号 | オールスター★直筆年賀状 |
| | 7 | 2号 | フルーツバスケット下絵（直筆サイン入り） |
| | 8 | 6号 | フルーツバスケット ランチBOX&ポーチ |
| | 9 | 10号 | 花ゆめSTARS'トリプルスタンプ |
| | 10 | 11号 | 花とゆめ25thアニバーサリーCLOCK（一部） |
| | | | 花ゆめプレミアム直筆&豪華イラストテレホンカード |
| | 11 | 13号 | 由希&夾のシールカメラ |
| | | | 透ゲームボーイ |
| | | | オリジナルテレホンカード |
| | | | 由希&透&夾マグカップ |
| | 12 | 14号 | 透の手さげポーチ |
| | 13 | 16号 | フルーツバスケットショルダーバッグ |
| | 14 | 17号 | 透☆卓上ミニ扇風機 |
| | 15 | 22号 | 紫呉★ライト付フォトスタンド |
| | ⑯ | 23号 | クリア下敷き |
| | | | リングノート |
| | | | クリアポストカード |
| | | | 絵馬 |
| | | | ミニカードセット |
| | | | クリアキーホルダー |
| | | | アラームクロック |
| | | | ティーカップとソーサーのセット |
| 2000年 | 17 | 1号 | 花ゆめオールスター直筆年賀状 |
| | 18 | 2号 | 由希♥マガジンケース |
| | 19 | 7号 | フルーツバスケット★CDキャリングケース |
| | 20 | 11号 | ハート形♥直筆サイン色紙 |
| | 21 | 12号 | 花ゆめSTARS'プレミアムSTAMP |
| | 22 | 13号 | 由希のトラベルセット |
| | 23 | 18号 | フルバのリバーシブル抱き枕 |
| | 24 | 20号 | コップ&歯ブラシセット |
| | | | クリアブックカバー |
| | | | バスクロック |
| | | | ハンディナップザック |
| | ㉕ | 21号 | 由希ちゃぶ台 |
| | | | 夾ちゃぶ台 |
| | | | 透&由希&夾ミニクロック |
| | 26 | 23号 | 由希&透&夾★羽根入りビニールクッション |
| 2001年 | 27 | 1号 | 綾女☆年賀状ケース |
| | ㉘ | 2号 | 開運!!ふろばdeフルバグッズ（開運おけ・ボディブラシ・手鏡・つめブラシ&ツボマッサージ） |
| | 29 | 4号 | 直筆サイン入り複製原画 |
| | | | クリア小物ケース |
| | | | 卓上ランプ |
| | ㉚ | 10号 | 花ゆめSTAR'Sトリプルスタンプ |

| キャラクターコンテスト賞品 | | |
|---|---|---|
| 2000年 | 4号 | 直筆サイン |
| | | ポット&カップ&ソーサー |
| | | 透&紫呉ペア湯のみ |

25 ちゃぶ台

28 ボディブラシ

16 絵馬

©NATSUKI TAKAYA/HAKUSENSHA

透くんと由希＆夾の組み合わせが、
『フルバ』の定番！
やっぱりお姫さまの側には、王子さまがいないとね！

2000年18号

1998年23号

## 『フルーツバスケット』コミックス・カバー

1巻
1999年1月25日
初版発行

2巻
1999年6月25日
初版発行

3巻
1999年9月25日
初版発行

4巻
2000年1月25日
初版発行

5巻
2000年4月25日
初版発行

6巻
2000年8月25日
初版発行

1998年16号

1999年8号

1999年16号

2000年3号

2000年11号

●声の出演●
本田透／小西寛子
草摩由希／久川綾
草摩夾／関智一
草摩紫呉／置鮎龍太郎
草摩楽羅／白鳥由里
草摩紅葉／長沢美樹
草摩潑春／陶山章央
草摩綾女／子安武人
花島咲／冬馬由美

●スタッフ●
原作・脚本／高屋奈月
脚色／久保田雅史（ぷらざあのっぽ）
演出／藤山房伸（神南スタジオ）
録音・調整／依田章良
効果／庄司雅弘
　　　（フィズサウンドクリエイション）
音楽／伊藤信雄
音楽コーディネーター／早川治久（早川屋）
スタジオ／神南スタジオ
制作／菊池晃一
　　　大塚美苗（アニメイトフィルム）
総合制作／花とゆめ編集部

ドラマCD

聞けば幸せ気分間違いなし！のドラマCD2枚。
『フルバ』は応募者全員サービス、『翼を持つ者』はHCDだよ！

# 1999 花とゆめオリジナルドラマCD『フルーツバスケット』

# ステキな外箱付き！

FRUTS BASKET

外箱表側

外箱裏側

オリジナルドラマ『草摩家の長い一日』と、『花ちゃんの明日の電波予報』の2作品を収録した、異常にハイテンションなCD！
『草摩家の長い一日』は、メインストーリーはもちろん、とーとつに挿入される小話がまた絶品！ 楽羅の手芸講座、紫呉が解説する音だけの世界の利点、さらには綾女の乱入などなど、爆笑間違いなし！ の小話なのだ。
ドラマ最後のおまけ、『花ちゃんの明日の電波予報』も、さりげなく不吉で、なんとなーく嫌な気分にさせてくれるナイスなコーナー！あなたの頭にも、電波が……★＄♭♩♪§♯

## 草摩由希

子〈ねずみ〉
都立海原高校2年D組
168.7cm／55kg
おとめ座／A型

高屋先生の制作秘話

綺麗だけど男の子。そういう中性的な人が好きなのです。由希にとっては災難だったかもですけど（笑）。爽やかな王子というのは少し描きづらかったりもするので心情の面では自分により近い処にいるこのような気がします。

高屋先生の制作秘話

# 誤解と笑い
## 愛と勇気の
### 「ナゲシそうめんへの道！」

●こんなお話●
ある夏の日、それは紅葉の思いつきから始まった。あの有名な夏の風物詩、誰もが憧れ、しかし誰もが実物に接したことがないという幻の国民的伝統食、「流しそうめん」へのチャレンジが！
だが、流しそうめんは手強かった。と、いうよりも、そうめんを流す台が手強かった。竹との格闘、溌春との格闘、そして楽羅との壮絶な死闘を経て、ついでに紫呉の家の雨どいもぶち壊して、流し台はなんとか完成する、のだが……！？
とにかく、流しそうめんは楽しい。だが、相当な覚悟と体力が必要だ、ということを身をもって体験した夏の長い一日のお話……。

MMCM-7004

MMCM-7004
定価¥2,800
(税抜価格¥2,667)

●声の出演●

寿〈ドワーフ〉／國府田マリ子
擂文〈隣国の王子〉／緑川光
抄華〈暗黒姫〉／田中敦子
晴〈庭師〉／檜山修之
コクサイ〈小間使い〉／保志総一朗
アディー〈鏡の精〉／南央美
フィーア〈王妃〉／岩男潤子
ヤン〈狩人〉／森久保祥太郎
ヒルト〈国王〉／松本保典
十夜〈大臣〉／三木眞一郎
六呂〈リンゴ売り〉／根谷美智子
ヤンの部下／伊藤健太郎

●スタッフ●

脚本／成田良美（ぷらざあのっぽ）
演出／藤山房伸（神南スタジオ）
音楽／伊藤信雄
音楽コーディネーター／早川治久（早川組）
効果／加藤昭二（アニメサウンド）
調整／山田均（神南スタジオ）　依田章良
演出助手／小川信寛（神南スタジオ）
スタジオ／神南スタジオ
マスタリング／Hi-Brite
エグゼクティブプロデューサー
　／角南攻（白泉社）高橋豊（アニメイトフィルム）
プロデュース／久保田博（白泉社）
プロデューサー／高田英之（白泉社）
　　　菊池晃一（アニメイトフィルム）
アシスタントプロデューサー
　／大塚美苗（アニメイトフィルム）
ライツマネージメント／中村亨（白泉社）

## HCD『翼を持つ者』

フィーア進行による『翼』メンバー自己紹介トーク（擂文と寿のラブラブショーあり）と、六呂プレゼンツの舞台劇『暗黒姫』の2本立ててお送りするドラマCD！
おまけコーナーは、目覚ましや留守電メッセージに最適の、寿、擂文、ヒルトのメッセージ集だよ。

## 『白雪姫』？
## いいえ、『暗黒姫』です!?

### ●こんなお話●

ひさしぶりに集合した『翼』メンバー。夢の同窓会は擂文の暴言、ヒルトの嫌味、抄華とアディーによる命がけのバンジー・ジャンプショーなどがあって和気あいあいと進行！（一部、納得できない人も……）。
目的地のお花畑で六呂と合流した一行は、彼の提案で『白雪姫』の劇をすることに。だが、くじ引きの結果、抄華が主役を演じることに決まってしまい、なんだか話は妙な方向へ……。
国民に嫌われ、国を恐怖に陥れた暗黒姫が、拷問好きの国王と冷徹な継母、そして口の悪い鏡の精の計略によって暗殺されかかる。そのとき暗黒姫のとった行動は……!?

# Fruits
## フルーツ・ガーデン
# Garden

●

スケッチ＆インタビュー

他作品紹介

●

十二支たちの　せつなく哀しい物語を生み出した高屋奈月

そのルーツを探るため

彼女の今までの作品　そして素顔に迫りました

# スケッチ＆インタビュー

高屋先生の公式ホームページ『ちょっといっぷく』で公開していた秘蔵イラストを大掲載！
ロングインタビューはキャラクターブックだけのオリジナル筆記インタビューだよ！

## 高屋先生のこと──お仕事編

**Q1** 最初に高屋先生ご自身について教えてください。

生年月日／7月7日　星座／蟹座　血液型／A型
出身地／生まれは静岡、育ちは東京の下町。
モットー／3つほどありますが……ナイショです。
趣味／ゲーム。
好きな色／沈んだ色。特に青や緑の。でも最近はパステルカラーにもようやく（？）目覚めてきた感じ。

好きな食べ物／アワビ（滅多に食べられないから）。お菓子ならガム。ガム魔人かってほどよく食べる。ちなみに嫌いな食べ物はピーマンとゆず。

**Q2** 作品を描くスケジュールを教えてください。

　私はプロットは書かない……ていうか書けないヤツなので、色々殴り書き（自分にしかわからん謎の書き込み）の構成をたてたらそのままネームを始めてしまいます。すぐネームを描き出したほうが全然、ラクなんです。何度も何度も描き直すコトになりますが……でも、そのほうが何倍もラクです。「とりあえずネーム描くから、そ

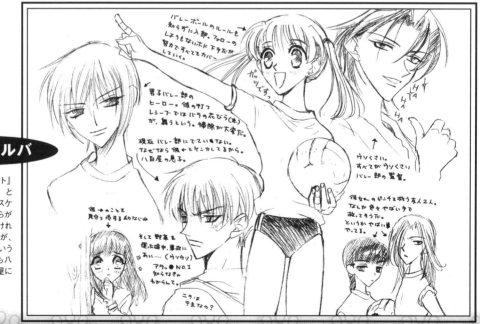

### スポ魂フルバ

もしも『フルーツバスケット』がスポ魂漫画だったら!?　という設定の元に描かれたスケッチ。由希のバラの花びらが舞う、という設定もスゴイけれど、それ以上に気になるのが、夾が八百屋の息子だという設定。皆川素子の実家も八百屋だったし……。八百屋に執着する理由は何……？

れで良いか悪いか決めてくれ」というタイプ（？）みたいです。

　話を戻しまして……えっと、ですからネームには3日から5日ほどかかります。担当氏にそれを見せて、色々話し合ったり直したりして、OKが出たら下絵に入ります。下絵に2日半、ペン入れにも2日半、背景に1日。ベタやトーン、仕上げに2日くらい、といった感じでしょうか。

**Q3** 1日のスケジュールを教えてください。

　ごはん食べる以外、ズーッと原稿に向かってます。

　余裕があるときは、お風呂に入ったりゲーム休憩を入れたりします。

**Q4** お仕事に使用されている道具や画材などは？

　特に特殊な物は使っていませんよ。

　ICの原稿用紙に、各種トーン類。ゼブラの丸ペンとNTカッター。あと証券用インクなどなどです。

**Q5** マッキントッシュをお仕事に導入されたのは、いつごろからですか？　また、どのような行程に使われているのですか？

　確か「幻影夢想」の最終回あたりから、主にカラーなどに使っています。

　子どものころから「塗り絵」が苦手で、母親に「もうアンタには塗り絵は買ってやらん」と言われるほどダメダメでしたのでMacでカラーはホント、すごく助かっています。しかもおもしろくて楽しいんですよね。難しいことは出来ませんけど……。

**Q6** プロットやネームを作られる際には、うーんと行き詰まったりするほうですか？　また、詰まってしまったら、どのようにして解決されますか？

　どうしても行き詰まるときってあるんですよね……。ちなみに私の場合、ページ数との兼ね合いが大半を占めています。

　んで、もうホントに詰まりまくってしまったときは、一度ネームする手を止めます。担当と相談したり、ゲームしたり寝たりします。気分転換です。

　そうすると詰まりを抜けるコトが出来たりするんですよ。

**Q7** 漫画家になろうと決意されたのは、いつごろでしたか？　また、そのきっかけは？

※この筆記インタビューは、高屋先生の手の状態を考慮して、ワープロを使って行われました。また、公式ホームページ「ちょっといっぷく」は現在休止中です。（2001年6月現在）

小学1年生のころ、かなぁ。そのころ、姉も漫画家になりたいって言っていたので、その影響もあったんですけどね。なんか……なんだか無性に、とにかくなりたくて仕方なかった。

**Q8 初めて書いた漫画は、どのような作品でしたか？**

確か、ちょっとSFがかった女の子ふたり組の……コミカル物……だったような……。なにせ小学生のときに描いたので憶えていない……。

## 高屋先生のこと──趣味編

**Q9 お好きな音楽、アーティストは？**

最近はゲーム音楽を聴いていることが多いですね。歌も。植松さんや光田さんの音楽が好きです。ゲーム音楽は、世界観とピッタリ合わせて作っていることが多いので良いですねぇ。素敵です。

でも、戦闘音楽を聴いてると戦闘をしたくなっちゃうときがあって、実際やってしまったりして、ちょっと困ることもあったり(笑)。

ほかだと、やっぱりマッキーとか。あと、アディエマスとか（造語だけど）。それと、アイリッシュ系にいつも惹かれてしまいますね。

**Q10 お好きな映画やTV番組は？**

昔の作品ですけど……映画なら『フィールド・オブ・ドリームス』と『天空の城ラピュタ』。

テレビはホントに観ないのでくわしくはわからないです。観なきゃイカンなぁとは思うんだけど…なんか、こう、邪魔に感じてしまう。ネームや原稿をやっているときは。

**Q11 コミックスの柱などで、度々ゲームのお話をされていますが、ジャンル的にはどのようなタイプのゲームがお好きですか？**

興味を引かれたり、「好き」と思ったモノならけっこうなんでもやります。でもアクション系は苦手だなぁ。

**Q12 お好きなゲーム、もしくはオススメゲームをいくつか教えてください。**

多種多様に色々好きなので一本には中々絞れない……。オススメは『サクラ大戦』。ホント、おもしろいですよ。

**Q13 高屋先生のお考えになる、良いゲームの条件はな**

幻影夢想

『幻影夢想』のくわしい
紹介は98ページに！→

んだと思われますか？

　漫画では出来ないこと、漫画だから出来ることがあるように、ゲームには出来ないこと、ゲームだから出来ることがあるハズなので、ゲームが「ゲーム」である意義を感じさせてくれるゲームは、良いなぁって思います。

**Q14** お好きなゲームキャラクターはいますか？

　可愛くて気立てが良くて、ちょっと素直じゃなかったりする女の子キャラだったりすると、もうメロメロです。ラブです。

　男の子キャラのほうが好きになる条件が厳しいかもしれないですね。

---

### 高屋先生のこと──ホームページ編

**Q15** 公式ホームページ『ちょっといっぷく』は、全部おひとりで作られたのですか？

　そうです。手作りです。だからいつまでたってもツタナイのです……。

**Q16** ホームページを制作された際に、一番苦労された

のはどういう点でしたか？

　う〜ん……。なにせ当時は相談できる人がひとりもいなかったので、それが辛かったかも。今は色々、友人に教えてもらっているので助かりますね。

---

### フルーツバスケット──作品編

**Q17** 『フルーツバスケット』の構想というのは、いつごろ、どのようにして生まれたのですか？

　『翼を持つ者』が終わろうとするころから、ジワリジワリと考えてはいました。でも最終的に構想が全部固まったのは、『僕が唄うと君は笑うから』（フルバが始まる前に描いた読みきり）のアトでした。「さぁ。もう時間がないぞぉ」と思っていたら、降りてきたんです。頭の中に。透が、それこそ「こんにちは」って感じに。そのあとはもう、グヮ〜ッって勢いで出来上がってました。

**Q18** 『フルーツバスケット』のほかにも、名前の候補はあったのですか？

　あるにはありましたが…。今は『フルーツバスケット』にして良かったと思います。読みやすいし呼びやすい。

**Q19** なぜ十二支というモチーフを選ばれたのですか？

　単に私が好きだったってのもありますが、皆もけっこう好きなんじゃないかなって（勝手に）思って、日本の文化って、やっぱ惹かれますよね。

**Q20** プロットやネームを作られるうえで、もっとも大切になさっていることはなんですか？

　心の速度とか……温度とか。言葉とか。

　あとはやっぱ、読んでおもしろいかおもしろくないか、でしょうね。笑えるとか感動するとか、そういうモノの根底にあるモノを忘れないようにしています。

**Q21** 高屋先生の描かれる作品は、ストーリーや雰囲気は大きく違っても、その奥底に流れているテーマは各作品共通のような気がします。高屋作品のテーマとはなんでしょうか？

　そう言ってもらえると嬉しいです。ありがとうございます。描き手が私である以上、根底のテーマ自体はどの作品も共通で、いつまでも変わらないものだと思います

ね（ってか、変わっちゃったら意味がない……）。

でも、テーマ自体を言葉っていう「カタチ」にする必要はないなぁと思っています。それは読者の方たちが自由に受け取るモノだから。……な～んて言いつつも時々、言いたいなぁ～なんて思うこともありますけどね(笑)。

## フルーツバスケット──素朴な疑問編

**Q22** 十二支憑きは、近親（親/兄弟/祖父母など）に十二支憑きがいる場合にのみ、生まれるのですか？　それとも、草摩家に所属している者ならば、外の人間でも、突然十二支憑きの子どもが生まれてしまう可能性があるのですか？

「外」の人も「内」の人も関係ないですね。基本的にランダムです。

ただ、そんな間隔なしに十二支の子どもが生まれてくる訳ではないんです。年の差もそんな無く全員揃った今のほうが、実は珍しいことなんです。

**Q23** 由希、綾女の両親は、今後登場しますか？

今のところ登場する予定ではあります。

**Q24** 『フルーツバスケット』の登場人物で、部活動をしているキャラクターはいますか？

だ～れも部活動はしてませんねぇ。

あのメンバーがそんな強い興味を持っていないんですよ。習いゴトなら、通ってる子たちがいるんですけどね。夾とか。紅葉も習いゴトしてるんです……が、なかなかそこまで描くスキマが無い……。

**Q25** 夾くんはネギとニラとミソが嫌いという設定ですが、なぜこの3つなんでしょうか？

ネギは味が嫌い。ニラは匂いが嫌い。ミソはミソ田楽とかそういうのが苦手なんです。

**Q26** 由希くんや、そのほかのキャラクターにも、好き嫌いはあるのですか？

ありますよ。そのうち描けたらいいなぁとは思ってます（未定ですが……）。

**Q27** 紫呉の小説の売れ行きは、どうなのでしょうか？

翼を持つ者

結構な人気作家だったりするのでしょうか?

　今のところは、「きりたに　のあ」のほうが売れ行き
好調。ちなみに紫呉は他にもペンネームを所持しています。
綾女に負けないくらい紫呉もやりたい放題し放題ですな。
人気自体はそこそこにって感じでは。

**Q28** 籍真の門下生は、みんな草摩家の人々なんですか?

　全部ではないですが、大半はやはり草摩の人間が多い
ですね。「内」も「外」も関係なく、籍真を慕って集ま
ってきます。燈路も通っています。

　強くなりたいってのもありますが、心のケアでもある
のですね。

## フルーツバスケット──オリジナルCD編

**Q29** 『フルーツバスケット』CDはオリジナルストーリ
ーですが、流しそうめんという突飛な題材をテーマに選
ばれたのはなぜですか?

　そういえば私、流しそうめんってしたことないんだよ
なぁ……と思ったから。それで話にしちゃうんだから私
も相当、無茶なヤツですかねぇ。

**Q30** メインのお話の合間に入る爆笑小話も、高屋先生
が書かれたのですか?

　そうですよ～。とにかく、せわしないくらい、楽しそ
うで可笑しいCDにしたかったので。だって、楽しいほ
うが嬉しくなるから。

**Q31** あの小話の中で、楽羅が作っていたものはいった
い何だったんでしょう?

　もちろん猫さんリュックですよ。見事な出来栄えだと
近所でもちょっとした有名人……かどうかは知らん
ですが(笑)。

**Q32** 最後にファンヘメッセージをお願いいたします。

　読んでくださってありがとうございます。

　フルバキャラは、みんな、それぞれに模索しながら、
笑ったり泣いたりしながら、生きていこうと歩き出します。
どうかこれからも優しく見守ってやってくださいね。

この3点はHCD『翼を持つ者』のイメージにそって描かれたもの。
『翼』連載当時とは絵柄が変化していることに注目!

『翼を持つ者』のくわしい紹介は100ページに!→
HCD『翼を持つ者』の紹介は88ページにあります!

# フルバ・キャラの私服を追え!!

フルバ・キャラたちのファッション・コンセプトを大公開!

## ◉本田　透

「お洒落」とはちょっと無縁な、何より丈夫で長持ちする服を優先して選ぶので、かなり地味です。平たく言うとダサめ(笑)。でも最近は、お財布に余裕が出来たので、前より少しはかわいい服を買うようになってきました。25話のように少女チック(?)な服を着ているときがありますが、あれは紫呉のプレゼントです。結構プレゼントしてます(そんな紫呉の気持ちがよくわかる……)。

18話のメイド服はキチンと受け取りましたが案の定、由希と夾に止められて、今は透の洋服ダンスのなかで眠っています。

## ◉草摩由希

チャイナ系の服を好んで着ているのはナンのことはない、私がチャイナ服を好きだからなんです。でも、中性的な由希にはよく似合っていると思うんですが……どうでしょう。

薄手のサラリとした質感のシャツが特に好きで、アクセサリーは嫌いです。あと、由希と夾の服は「おまえの着てる服だけは死んでも着たくないし、第一、自分には似合わない」って、お互いに思うような対照的な感じにしています。基本的に、ですが。

## ◉草摩　夾

私が描く男キャラでいちばん、Vネックのシャツが似合ってる……と思うんですけども。

動きやすくて気を遣わない、ラフな服が好きです。首がしまる服は大嫌い。アクセサリーも数珠以外は付けません。数珠も「付けなきゃいけない」ので付けてるだけだし。とにかく鬱陶しく感じるものはイヤがります。靴下をはくのも嫌いです。

初登場時に履いてたズボンがお気に入りだったんだけど、ズタボロになっちゃったのでもう着れない……ゴメン。

## ◉草摩紫呉

「小説家になったんなら着物でしょう」という軽いノリでテキト～に、だらしな～く着物を着ています。

小説家になる前(つまり本家にいたころ)は、シャツとジーパンって感じに、結構ラフな服をテキト～に着ていました。テキト～ってのも彼の「ポーズ」のひとつなん

ですな。ポリシーがないように「みせている」というか。

## ◉草摩楽羅

二十歳近い割にかわいい系を着ているのは「顔が童顔」という理由と、あまり大人っぽい服を着ると夾とつり合わない気がするから、です。

猫さんリュックは楽羅の手作りで、スペア(?)も何個かあります。部屋には猫のヌイグルミが溢れていて、色はすべてオレンジ。オレンジの部屋……目に痛そう……。

## ◉草摩紅葉

もうとにかくロリロリに、好き勝手に好きなものを着させてます。

たっくさん持ってるので服しまうのが大変そう(ってか、自分がどんな服を持っているのか全部把握できているのかどうか……)。たまに綾女の店でも作ってもらっています。特にかぼちゃズボンがお気に入り。

でも、自分で描いててなんですが、男子制服も似合うと思う……んだけどな。

## ◉草摩潑春

最初は普通に夾のような格好した子だったのですが、ある女の子の影響で派手系に走るようになりました。今では自分でも好んで着ていますが。

春もかなりの衣装持ち。服には惜しみなくお金をかけています。特に革製のものが好きです(なので冬が好き)。

## ◉草摩はとり

別にスーツがとても好き、という訳ではなく、組み合わせさえ決まってればいちばん考えなくて済むラクな服だと思っているからです。なもんだからスーツ選びは家政婦さんに任せっきり(佳菜がいたころは彼女に任せてました)。そのうち窘めてくれることでしょう。誰かが。

## ◉草摩綾女

弟がチャイナ系なんだから兄ちゃんもチャイナ系だな。と、安易に決定。でも、最近はもうなんだか分かんなくなってきた(笑)。

綾女は自分が着たいと思った服をガーッと紙に描いて、美音に作ってもらっています。ってか、ほかの人には作らせない。

スケッチ

ザーッと描いたので、美音のメイド服がいい加減すぎる。
ごめんなさい、今度はもっとマジで。(はい?)
あーやが着てる服は 大体 あーやがデザインして
美音が作ってるんですよ。

ネット上でしか公開してないイラストなど。
わかりは紅葉風呂、亀のたまご入りくりな子だなぁ。
描いてて とても楽しい。
フリフリ服とかメイドさん服とか、なにしろ、かくとして
生まれたんだな!! ぐらい着込むか、たんとやって
とり巻をはずさずに お守りそうです(笑)。和泉。

悩んでそうな性格にこそ見えますけど 悩み知らずな葵。
この人を深く描いていくのがこれから楽しいです。(笑っちゃうこといっぱい)
イヤ 全キャラ楽しんでますけど。深く葵が悩みたいかも(笑)。

ゴージャスな服が大好きで、色は赤や金を好みます。

### 草摩利津

シックな(もちろんスカートの)ワンピースも着ますが、やっぱり(もちろん振り袖の)着物が好きなようです。大学にも女装していくので、ある意味、有名人。キチンと男の格好をするときは、スーツ系が多いです。はとりが着ているスーツよりか耽美入ってるかも。ちょっとだけ。

### 草摩杞紗

ワンピースを好んで着ています。私としてはもっとフェミニンなフリルまみれのワンピを着せたいトコロなんだけど(笑)杞紗の心情としてはまだそういうのは着たくないみたいです(カラーのときなどは着せてますが)。華美な色のものは好まないですね。

### 草摩燈路

ビシッとした、軍服系?……とか思ってましたが、最近そうじゃないことに気が付いて、ようやく落ち着いた感じです。
だらしないのは嫌いなので服にも気を遣っているようです。キチンとした仕立てのものをキチンと着る、といった感じに。アクセサリーは好みませんが洋服を飾るような小物(?)は好きです。なので燈路も、春と同じく冬服のほうが好きだと思う。

### 草摩慊人

この人は大抵、着物ばっか着ているのでアレなんですが……。
洋服は飾り気のないものが好きです。ってか、飾り立てることに嫌悪すら抱いているので、肌が見えるのも嫌いです。着物で見えたりしてるけども(笑)。

### 花島　咲

私服は黒しか着ません。洋服ダンスを開けると真っ黒……圧巻ですな。
常に黒のマニキュアを塗っていますが、アレは中学生のころからです。
シックでエレガント系の黒ドレスと、弟の恵とおそろいの黒マントが特にお気に入りです(ちなみに祖母の手作り)。

### 魚谷ありさ

タイトな服が好きです。
バリバリヤンキーだったころは肌を隠す服ばかり着ていましたが、更生(?)してからは結構露出度の高いものも選ぶようになったようです。うおちゃんの私服は、今日子さんの影響大です。
でもやっぱりスカートだけはロングが好き(足、細いのになぁ)。

## 幻影夢想

◇掲載誌◇
『花とゆめプラネット増刊』
'94／4／15号〜'97／9／30号

邪心に憑かれ、邪鬼となってしまった人々を払う、現世でただひとりの守護師・乙矢環。己の無力さに悩みつつも、重い宿命を受け入れようとしていた彼の前に、月華一族を名乗る少年が現れた。彼の名はえいじ。人々に邪心を植えつける邪法使いだ。滅んだと思っていた邪法使いの復活に、環の母・要はすべてを明かすことを決意する。自分が先代の邪法使いであり、環の中には乙矢と月華、ふたつの血が流れていることを……。

真実を知り、動揺する環。追い打ちをかけるように母が逝き、恋人・旭までもが月華一族に付く。苦悩の中、それでも邪鬼となった人々のために、環は守護師としての責務を果たし続ける。乙矢と月華、千数百年の確執をその身に背負いながら……。

寺の息子にして若き門主。先代の守護者だった祖父の死後、守護者を継承。七芒陣の結界や使役の創造、護法の召喚などの守りの術を操る。宿敵・月華一族の血も受け継いでいるため、一族の人間から忌み嫌われている。

"妹"の方がいい……

待ってて
くれる

### ふたつの血を受け継ぐ守護師
## 乙矢 環
### OTOYA TAMAKI

## 如月 旭
### KISARAGI ASAHI

環の幼なじみで恋人。万物の力を持つという少女・水月華の生まれ変わり。守護師の宿命に悩む環を支え、いつも身体いっぱいの愛情で包んできた。しかし、前世の記憶を取り戻してからは、かつての恋人・飛良と行動をともにする。

### 秘めたる力を持つ少女

もっと……

たまきちゃんを
愛したいんだ

もっと……

旭
そして

救えるくらいに

## 乙矢一族

### 乙矢 要 OTOYA KANAME

環の母。気丈な女性で、彼女自身も術を操る。邪法使いだったが、環の祖父を愛し、月華一族を裏切った。

（自分の子供ほど愛しいものなんてないのに）

（あんたは一生その想いを知らずに生きるんだね……）

### 如月旭の母 MOTHER

酒乱気味で、幼いころから旭を虐待。現在は男のところへ入りびたり、家にはほとんど帰ってこない。父親は旭が生まれる前に死亡。

### 乙矢 旱 OTOYA HIDERI

東の分家の庇護師。要のことをひとりの女性として慕っていたせいか、息子の環には厳しい視線をそそいでいた。

### 乙矢 砌 OTOYA MIGIRI

旱の妹。庇護師でもあるが、まだ未熟のようだ。兄と違って、環に好意を抱いている。実は一族が決めた環の婚約者なのだ。

### 乙矢常盤 OTOYA TOKIWA

西の分家の一員。庇護師として守護師を補佐する役目を担う。環のふたつ年下で、環のことを「兄さま」と呼んで慕っている。

### 乙矢惣鉞 OTOYA SOUETSU

先代の守護師。表向きは環の祖父ということになっているが、実は父親。乙矢の血が絶えることを恐れた一族の意志で要と契る。

（そうですか……）

### 嵯峨 SAGA

乙矢一族の始祖。千数百年前、飛良とともに水月華に仕えていた術師。優しく穏やかな人柄で、皆に好かれていたと言うが……。

（睦を愛しているのでしょう）

## 月華一族

### えいじ EIJI

最後の邪法使い。飛良の唱える理想郷を信じ、人々を邪鬼へと変えていた。のちに女性型へと変貌。

（許さないでくれ……）

### 影羽 KAGEHA

えいじに仕える描鬼。身体の弱いえいじを気遣い、守ってきた。えいじの名付け親でもある。

（影羽がもらいます）

### 睦 MUTSU

飛良の側近。かつて水月華の命を守れなかったことを悔い、その贖罪で盲目的に飛良に仕える。

### 露架 ROKA

飛良の側近。睦と同じく水月華の時代から生き続けている。そのころから睦への想いを秘める。

### 孺詞 JUGE

飛良が眠りについているときの守り主。そのため飛良への執着が激しく、旭に対しても敵意を隠さない。

（さようなら守護師）
（敵は俺が……頂くっ）

### 飛良王 HIRAOU

水月華の側近にして恋人。彼女の死後は、人間を邪鬼に変貌させ、それを喰らう月華一族の王として君臨。

## 魄碑の巣

### 紗帛 SHAHAKU

邪心が集まる魄碑の巣の番人。本来は人間とは関わってはならない存在だが、旭に頼まれ、えいじを救う手助けを。

（亀梨は自らの身を以って封じねばならん）

### 水月華 SUIGETSUKA

千数百年前、万物の力を持つとして崇めたてまつられていた少女。飛良と愛し合うが、人間に惨殺される。

# 翼を持つ者

翼を持つ者

◇掲載誌◇
「花とゆめ」
'95 22〜'98 11号

22世紀末──、数多い戦争を繰り返してきた世界は荒廃し、大地は萎え、人々は貧困にあえいでいた。文明の利器を使えるのは軍人と一部の金持ちだけ。弱者は徹底的に差別され、特に親を持たない子どもは「名無し」と呼ばれて、成人してもまともな職にさえ就けない。生きていくために、名無したちの多くは犯罪に走るしかなかった。盗賊・寿も、そういう名無しのひとりだったが、警吏隊長・擂文との出会いをキッカケに足を洗う。

就職口を求め、軍を辞めた擂文とともに町から町へ旅する暮らしが始まった。そんな毎日のなかで、折に触れ、寿は「翼」の伝説を耳にする。姿も正体も謎だが、それはこの大地のどこかに眠っていて、手に入れられればどんな願いも叶うという……。寿は、軍の陰謀によって擂文の頭に埋められた爆弾を取り外したい一心で、翼を追い求めるが!?

## 擂文・シラギ
### RAIMON SHIRAGI
寿に心をもらった男

元警吏隊長。幼いころから神童ぶりを発揮し、軍のエリート街道を順調に昇ってきた。が、寿と出会うまでは人を愛したことがなく、感情が欠落した人形のようだったという。ヒルトによって、国外に出ると爆発する爆弾を頭に埋められている。

## 寿
### KOTOBUKI
世界を回した少女

孤児院出身の「名無し」。6歳のときに施設が火事になり、ひとりだけ生き残る。以来、やむなく盗賊に。しかし、機会さえあればまっとうな職に就きたいと願っていた。恋愛に関しては奥手で、積極的な擂文に振り回されっぱなし。

## 寿を支える仲間

**抄華**
**SHOUKA**
ノーコンのくせに爆弾投げが大好きな盗賊。ワガママで乱暴だが、世話好きな面も。翼を血眼になって探している。擂文が苦手。

**晴**
**HARU**
抄華の手下。ボスの抄華に対してもクール。

**コクサイ**
**KOKUSAI**
抄華の手下。ある事情から擂文に脱まれている。

**ヤン・蛟**
**YAN MIZUCHI**
レジスタンス組織「狄」の頭目。父親が亡くなり、跡を継いだばかり。おおざっぱでストレートな性格の持ち主。

**ヤンの手下**
**FOLLOWER**
狄のメンバー。突拍子もない行動をとるヤンに、いつも驚かされ続けている。しかし、信頼は篤く結束は固い。

**アデリィート・ウィルソン**
**ADELEIT WILSON**
大会社の娘。11歳だが言動は子ども離れしている。父亡き現在は、頼りない母親を支えて彼女が会社を切り盛りしている。

**アン**
**AN**
寿がいた孤児院の院長。孤児院の火事で焼け死んだと思われていたが……。

## 文明国の生き残り

**六呂** RIKURO
不思議な力を持つ謎の少年。ピンチの寿を何度となく助けてくれる。擂文とは旧知の間柄らしい。翼とも関わりがあるようだが……。

**博士** DOCTOR
滅亡した日本国の生き残り。翼を作り出した科学者のひとりである。隠遁していたが、六呂が寿に協力したことを知り、自分も力を貸す。

**彩** AYA
博士とともに暮らしていたロボット。同型で鈴(すず)と鈴(りん)という仲間がいる。実は殺人マシンだが、性格はとても優しい。

——うん
ありがとう……

## 軍に所属する者

**ヒルト・ギル大佐**
**HILT GUILL**
エリート揃いの軍のなかでも異例の出世をとげた天才児。翼開発最高責任者。冷酷で、目的のためには人を殺すことなど何とも思っていない。

**十夜・イグラム少佐**
**TOUYA IGRAM**
ヒルトの部下。暴走しがちな彼の補佐役。熱烈な擂文フリークで、彼の写真をコレクションしている。でも家庭持ち。しかも愛妻家で子煩悩。

**フィーア・マイシェル中佐**
**PHIRE MAISHEL**
ヒルトの部下。暴走後のフォロー役。軍やヒルトのやり口に疑問を抱いているが、彼への想いから盲目的に従う。感情がほとんど顔に出ない。

**ロス・コープル**
**LOS CORPUL**
擂文の義理の父親。軍と癒着している大商人。表向きは孤児院を援助する慈善家だが、実は軍の命令で孤児院を潰し、名無し狩りをしている。

## 番外編 暗黒姫

暗黒姫＝抄華
継母＝フィーア・マイシェル
鏡の精＝アデリィート・ウィルソン
ドワーフ＝寿　リンゴ売り＝六呂
王子＝擂文・シラギ
大臣＝十夜・イグラム
王＝ヒルト・ギル　狩人＝ヤン・蛟
小間使い＝コクサイ　庭師＝晴

配役

まったくこの寿って奴は！！
おまえこそ籠なんだよ！

あたし何も見つけてこようなんて女じゃないんだから！

そんな簡単に彼女を求めてきまるか！男だ相！

コミックス『僕が唄うと君は笑うから』に収録。変態の父親や冷たい継母の仕打ちにもめげず、真実の愛を求めてさすらう、か弱き白雪姫（本当は、美人だけどとっても性格が悪くて、夜遊びと小間使いイジメが大好きで、全国民に嫌われている暗黒姫）が、真実の愛に目覚めるまでのヒューマンストーリー。と、暗黒姫に苦労させられっぱなしの可愛いドワーフが、王子さまに助けられ、見初められるシンデレラストーリーがミックスされたエンタテインメント感動短編。本編を読んでから楽しんでね！

だから自分で見つけにいくの

そして史上最悪の恋愛がはじまる！？

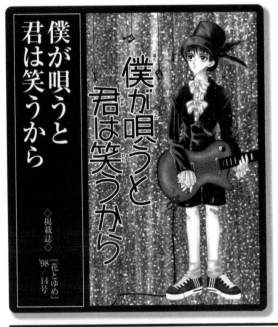

## 僕が唄うと君は笑うから

◇掲載誌◇
『花とゆめ』
'98／14号

アマチュアバンドのボーカル厚士は、目つきの悪さと口数の少なさで周囲に誤解されがち。特に女の子からは怖がられてばかりだ。そんな彼に初対面で笑顔を見せてくれたのが、バンド仲間の嵩の従姉妹・杏だった。

だが、高校に入学してから、彼女のようすがおかしい。いつもおどおどして俯いてばかりいる。なんとか杏を元気付けたいと思う厚士は、高校の文化祭で彼女のために歌おうと考えるのだが……。

中田 杏
NAKATA ANZU
■
笑顔をなくした美少女

高橋厚士
TAKAHASHI ATSUSHI
■
無口なボーカリスト

嵩
TAKASHI
■
恋と音楽の立て役者

---

## Ding Dong

◇掲載誌◇
『花とゆめ』
プラネット増刊
'93／1・5号

千里 CHISATO
母のぬくもりを求めて…

静子 SHIZUKO
2番目のママ

孝弘 TAKAHIRO
■
千里の恋人候補

再婚したばかりだった父が、交通事故で死んでしまった。2番目の母の静子と、表面上はうまく生活していた千里だったが、その心の中に広がっていたのは「いつか彼女も出ていく」というあきらめだった。

---

## Voice of mine
ヴォイス・オブ・マイン

◇掲載誌◇
『別冊花とゆめ』
'93／11月号

稲垣 秀
INAGAKI SYU
■
悩める天才
バイオリニスト

二葉 FUTABA
■
自分の音を持つ
ヴィオラ奏者

稲垣秀は天才と呼ばれるバイオリニストだ。けれど、有名な音楽家を両親に持つ彼を、周囲は正当に評価しようとしない。自分を見失いかけていた彼の前に現れたのは、まっすぐな瞳と音を持つ少女・二葉だった。

## Double Flower

◇掲載誌◇
『別冊花とゆめ』
'94・2月号

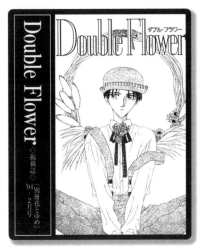

**透流 SUGURU**
恋に臆病な手芸家

**綾 AYA**
小さな恋のアドバイザー

**麻琴 MAKOTO**
透流の憧れの女性

　幼いころから手芸が大好きで、ついには仕事にしてしまった透流。おかげで実家からは勘当状態だ。そんな彼の元にある日、義理の姪の綾が転がり込んできた。年下だが気の強い綾に透流は押されっぱなしで……。

## Knockin' on the Wall

◇掲載誌◇
『花とゆめプラネット増刊』
'92・11・1号

**長谷川翠 HASEGAWA SUI**
進路に迷う高校生

**カホリ KAHORI**
病魔に立ち向かう勇気

**成瀬 NARUSE**
翠を見守る青年

　高校3年生なのに、10月になっても翠は進路が決まらない。目の前に大きな壁が立ちはだかっているかのような閉塞感。片思いの相手・成瀬が心配してくれても、それを受け取る余裕すら、今の翠にはなかった。

## 高屋奈月作品リスト

| 年 | 掲載誌 | タイトル | P数 | 備考 |
|---|---|---|---|---|
| '91 | 別冊花とゆめ冬の号 | SICKLY BOYは陽に弱い | 17P | 第178回HMC 佳作 |
| '91 | 花とゆめプラネット増刊9/1号 | Long Range! | 40P | 第18回BC賞 準入選 |
| '92 | 花とゆめプラネット増刊9/1号 | Born Free | 32P | デビュー作 |
| '92 | 花とゆめプラネット増刊11/1号 | Knockin' on the Wall | 32P | HC「翼を持つ者①」 |
| '93 | 花とゆめプラネット増刊1/5号 | Ding Dong | 32P | HC「僕が唄うと君は笑うから」 |
| '93 | 別冊花とゆめ11月号 | Voice of mine | 45P | HC「僕が唄うと君は笑うから」 |
| '94 | 別冊花とゆめ2月号 | Double Flower | 40P | HC「僕が唄うと君は笑うから」 |
| '94〜'97 | 花とゆめプラネット増刊4/15号 〜 花とゆめステップ増刊9/30号 | 幻影夢想 | 896P | HC「幻影夢想①〜⑤」 |
| '95 | 花とゆめ6号 | 緑の祭壇 | 46P | ———— |
| '95〜'98 | 花とゆめ22号 〜 花とゆめ11号 | 翼を持つ者 | 1122P | HC「翼を持つ者①〜⑥」 |
| '96 | 花とゆめ5号 | 幻影夢想 外伝 | 41P | HC「幻影夢想④」 |
| '96 | 描き下ろし | 希求 | 4P | HC「幻影夢想①」 |
| '97 | 描き下ろし | その後の幻影夢想 | 4P | HC「幻影夢想⑤」 |
| '98 | 花とゆめステップ増刊1/15号 | 暗黒姫 | 32P | HC「僕が唄うと君は笑うから」 |
| '98 | 花とゆめ14号 | 僕が唄うと君は笑うから | 44P | HC「僕が唄うと君は笑うから」 |
| '98 | 花とゆめ19号〜 | フルーツバスケット | 連載中 | HC「フルーツバスケット①〜」 |

※リストは2001年7月現在のものです。

本書は、『花とゆめ』（毎月5日・20日発売／白泉社刊）掲載のコミック『フルーツバスケット』を、
登場するキャラクターを中心に詳しく解説したガイドブックです。

# 高屋奈月
# 『フルーツバスケット』キャラクターブック

平成13年7月23日　初版発行
平成14年2月28日　第9刷発行

著　者　高屋奈月
©NATSUKI TAKAYA

発行人　草彅紘一

発行所　株式会社 白泉社
〒101-0063 東京都千代田区神田淡路町2-2-2
電話 [編集]03-3526-8060 [販売]03-3526-8010 [業務]03-3526-8020

印刷・製本　大日本印刷株式会社

編集協力　STUDIOあむ（大内めぐみ・梅沢鈴代）
デザイン　ZOO（山本ユミ・曽根陽子・斉藤聖子）

HAKUSENSHA Printed in JAPAN ISBN4-592-73185-9